父が子に語る科学の話

親子の対話から生まれた感動の科学入門

ヨセフ・アガシ　著
立花希一　訳

ブルーバックス

THE CONTINUING REVOLUTION

A History of Physics from the Greeks to Einstein

by JOSEPH AGASSI

In collaboration with Aaron Agassi

装幀／芦澤泰偉事務所
カバーイラスト／大塚砂織

序文

科学はなぜ「対話」を必要とするのか？

読書猿

「科学」と聞いて、思い浮かぶイメージは何だろうか？　白衣を纏い、無機質な実験室で黙々と研究に励む科学者の姿？　黒板を埋め尽くす数式や難解な専門用語？　あるいは世界を変えるような画期的な発明の数々？

今日、科学を「役立たず」だと誇る人は多くない。「理解できない」と拒絶するのもはばかられる。科学はとても役に立っている。日常生活の隅々までいきわたり、我々の生活を支えている。

けれども「科学はみんなに愛されている」とは、とても言えない。理科嫌いの子どもたちが増えている。それも歳を重ねるごとに、理科好きな子が減り、嫌いな子が増えるという。この延長線上に、科学嫌いの大人がたくさん生まれている。

今でも、科学的根拠に乏しく多くの研究で否定されている主張を、信じ広めようとする行動や活動は枚挙に暇がない。これらは個人的信念にとどまらず、政策決定に悪影響を及ぼすことすらあり、環境を悪化させたり、人命を奪ったりする事態につながることだってある。

そうした科学不信は、過激な反科学運動に打ち興じる人たちばかりのものではない。多くの人が、便利で欠くべからざる存在意義を認めながらも、科学にうっすらとした忌避感、「縁遠さ」や「冷たい」イメージを抱いている。一体なぜ、私たちは科学を「難しい」「自分とは関係ない」と感じるようになってしまったのだろうか？

多くの人が科学に「冷たい」イメージを抱くのには、いくつかの要因が考えられる。科学は、感情や個人的な意見を離れて、事実や数値に基づいて客観的な結論を導き出すことを目指し、またその結論をベースに次の研究を続けていく。しかし、この非主観的な側面が強調された上にカリカチュアライズ（戯画化）されて、科学研究自体が人間味を欠いた営みであるかのように誤解されてしまう。

また科学は、私たち人類の文化や価値観に大きな影響を与えてきた。しかし、その変化があまりにも急激であるがゆえに、伝統的な価値観と相容れない部分が生じ、そのために科学に対して抵抗感を抱く人も少なくない。たとえばダーウィンの進化論がヨーロッパの宗教観に与えた衝撃、そこから生まれた強い反発は有名だ。

科学教育では、発見の背景やそこに至るまでのプロセスよりも、科学研究の成果である理論を教えることに重点が置かれがちだ。発見の裏に隠された科学者たちの挫折や失敗は捨象され、その結果、科学がまるで最初から完成された知識の体系であるかのように、いやむしろ「正解の束」として認識されてしまう。科学を学ぶことは、そんな「正解だけを束ねたもの」を疑問を持たず、ひたすら飲み込むことだと誤解してしまう。

さらに現代の科学は高度に専門化しており、各分野の研究者は自身の専門領域に特化した研究に没頭している。これは科学の進歩に不可欠な要素ではあるが、異なる分野の営みは科学者同士でも簡単には理解できない専門分化したものになっている。同時に、一般の人々にとっては、専門研究者とのギャップはますます広がり、科学の営みを理解することが難しいものとなっている。

＊＊＊

本書『父が子に語る科学の話』は、科学史家・科学哲学者であるヨセフ・アガシが、科学（物理学）の歴史を題材に、八歳の息子との対話を通して、科学がどのような知的営為であるかを丁寧に解説した書物である。原著（*The Continuing Revolution: A History of Physics from the Greeks to Einstein*）は、一九六八年にニューヨークのMcGraw-Hill Book Companyから初版が出版されたが、現在まで科学入門として読まれ続けている好書である。

この本の特徴は、大きく二つある。ひとつは、アガシ自身の息子アーロンとの対話形式を採用することで、ともすれば難解で取っ付きにくいものとして敬遠されがちな科学の歴史を、驚くほど分かりやすく、そしてまるで物語を読むかのように親しみやすく描き出している点だ。専門用語は可能な限り避け、たとえ話や身近な例をふんだんに用いながら、息子の素朴な疑問や先走りする断定に対して、父親はそれを切って捨てず、優しい口調で息子とともに議論を重ねていく。

物理学を中心的なテーマとしながらも、知的営為としての科学全体の歴史と営みを視野に入れた壮大な物語が紡ぎ出される。古代ギリシャの哲学者アリストテレスが提唱した運動論を出発点とし、ニュートン力学の誕生、そしてアインシュタインの相対性理論へと至るまで、科学という壮大な物語が、読者を飽きさせることなく、知的興奮に満ちた世界へと誘う。

第二の特徴として、単に科学史上の出来事を羅列するのではなく、科学の歴史に燦然と輝く天才たちが、どのような問題意識を持ち、どのように思考を深め、そして当時の人々の常識を覆すような革新的な理論を構築していったのか、その挑戦の軌跡を丁寧に、そして克明に追いかけている点が挙げられる。科学を、完成された、揺るぎない知識体系として捉えるのではなく、絶えず問い直し更新され続けるダイナミックなプロセスとして捉える、著者の科学観を色濃く反映している。

なぜアガシは、こうした科学観を抱き、またこのようなスタイルで、科学という深遠な世界へと読者を誘うことを選択したのであろうか。その背景には、アガシ自身の個人的な経験と、そこから生まれた知識観と教育観があると思われる。

アガシは、幼少期に受けた教条的なユダヤ教教育に強い抵抗感を抱き、科学の学習を通して、そうした窮屈な世界観から脱却したという。しかし、皮肉なことに、今度は科学の世界にも別種の教条主義が存在することに気づかなくてはならなかった。苦悩する中で、カール・ポパーの提唱する批判的合理主義に出会い、第二の教条主義からも自由になるための道を切り開いた。

これらの経験を通して、アガシは、教師や権威者が一方的に正解を押し付けるような教育では、科学という知的営為の本質は伝えられないこと、対話と議論を通して子どもたちが自ら吟味し、自分自身で理解する力を育む教育の必要性を、身をもって認識するようになったのである。

本書は、アガシのそうした科学観と教育に対する熱い想いが結実したものとも言える。ソクラテス式の対話形式を採用することで、ともすれば受動的な情報の受け手に留まりがちな読者も、能動的な議論の参加へと自然に誘われる。八歳のアーロンの素朴な疑問はそのまま読者自身の疑問となり、アガシとの対話による丁寧な議論を通じて、科学に対するより深い理解へと導かれる。まるで、読者自身がアガシとアーロンの対話に参加しているかのような、臨場感あふれる体験を通して、科学の世界に深く足を踏み入れることができるだろう。

＊＊＊

アガシは、しばしば「科学史とは、我々人類が積み重ねてきた、最良の誤りの歴史である」と述べている。これは、科学が決して無謬の知識体系ではなく、絶え間ない試行錯誤と検証を通して発展してきたことを意味している。

幾多の挑戦と検証を経て、何かを「誤り」であると見なすことができたとき、私たちは前へと進む。その意味で、科学史を、勝利してきた者たちのみを取り上げる凱旋の展覧会にすることは、大切なものを捨てることになる。

「誤り」を梃子にして前に進むためには、誰かの考えを「間違っている」と切り捨てるのではなく、どこがどうおかしいのか、何と矛盾し齟齬をきたすのか、なぜその誤りが生まれたのか、どんな問題に挑もうとしたのか、どのような点で優れていたのか、そしてどのような限界を持っていたのかを、多角的な視点から深く吟味する必要がある。

どのような天才の仕事も、経験ある先達の業績も、すべて他の科学者の検証を受けなくては、科学者コミュニティの共有財産とならない。科学という知的営為は、こうした相互吟味によって成り立つ。個々の実験も研究も、こうした相互吟味を形作る一つのピースに他ならない。

そして実際、科学研究者は、我々が思うよりずっとおしゃべりだ。一つの実験の前にも後にも、ああでもないこうでもないと盛んに議論する。論文には、インフォーマルな会話や議論はそのままの形では現れないけれど、新しい知識が生まれる現場はいつも話し声に満ちている。

本書が単なる科学入門や科学史書と一線を画すのは、科学という営みの中核をなす、こうした相互吟味のプロセスを、本書の対話が反映している点にある。

対話という形式は、本書では、難しい科学や科学史のトピックを易しげに解説して見せる「糖衣（シュガーコーティング）」として採用されているのではない。アガシとアーロンの対話は、科学史を解説するためでなく、むしろ科学の営みを追体験するために行われている。本文中、アガシが繰り返し強調するように、こうした対話こそが、知識の伝達を旨とする従来の科学教育に欠けているものなのだ。

本書における対話が、いわゆる心理的安全性（psychological safety）を確保された場で行われているのも重要である。心理的安全性とは、組織や関係において自分の考えや気持ちを誰に対しても安心して発言できる状態のことを言う。アーロンは、自分の無知や無能がばれるのを恐れて口をつぐんだりしない。どんな発言も、たとえ間違っていたとしても、次の議論を生み出すきっかけになる。アーロンは拒否されるなどとは思わず、どんどん自分の考えを述べていく。

相互吟味は、お互いの誤りの指摘を含む。相手に否定されたと傷つくことだってなくはない。だからこそ、お互いが自由に相互吟味を行うためには、拒絶や罰を恐れずに意見を述べることのできる心理的安全性が重要となる。

科学者のみならず、知識ある側に立つと信じる者は、そうでないと目された人たちの考えや信念を、丁寧でない仕草で扱うことが多い。たとえば、多くの親は、子どもの考えや信念を、それほど丁重には扱わない。だから子は成長するにつれて、そうした経験が積み重なって、親の言うことを聞かなくなる。というより、そもそも親と話をしたがらなくなる。

そして我々の科学嫌いのいくらかは、科学が時に私たちの直感や大切な信念に反することを指摘し、自分の信じたいものを科学的に否定されてきた経験に由来する。我々が長いあいだ当然と考えてきたことや、感情的に強く結びついている信念に対して、科学的根拠に基づいて修正を求められると、反発したくなるのも無理からぬ話だ。その科学的根拠が難しくて、あまりよく理解できないとなるとなおさらである。

「分からない」ことに付き合うのは心理的負担だ。こうした経験が積み重なると、科学の言うことを聞かなくなる。そもそも科学と接触したがらなくなる。

親であるばかりか、科学者としてのトレーニングを受けたこともあるアガシだが、息子アーロンの素朴な疑問や性急な断定を、頭ごなしに否定したり、一方的に正解を押し付けることは決してしない。彼は、対話を続ける術と重要性を知っている。アーロンの疑問を丁寧に聞き取り、共に考え、時には議論を戦わせることで、アーロンとともに、その思考が進んでいくことを促す。

「でも科学は本当のところ、いやな仕事ではないよね。だって、科学は面白いんだから」

アーロンのこの一言は、本書全体を貫く重要なメッセージであると同時に、アガシ自身の科学に対する揺るぎない信念を象徴しているようにも思える。科学は、決して冷たく無機質なものではなく、私たち人間が本来持っている「世界を知りたい」という純粋な好奇心と、それを分かち合いたいという熱い情熱によって支えられているのだ。

『父が子に語る科学の話』は、科学という広大な海への、魅力的な招待状だ。アガシとアーロンの対話に耳を傾けながら、私たちもまた、彼らと共に、知的冒険の旅に出かけようではないか。そこにはきっと、教科書からは決して学ぶことのできない、科学の真の姿を垣間見ることができるだろう。

原著のタイトルであるContinuing Revolution（連続する革命）は、Continuing Dialog（連続する対話）だとも言える。私たちはこれからも繰り返し間違いを犯し、何度もそれらを訂正していくだろう。

科学という対話は、終わることがない。

（イラスト：塩川いづみ）

読書猿（どくしょざる）

ブログ「読書猿Classic」主宰。
著書に『独学大全』（ダイヤモンド社）、
『問題解決大全』『アイデア大全』
（ともにフォレスト出版）など。

まえがき

二年前の夏、息子のアーロンと私は、一連の長い対話をおこなった。われわれは科学と哲学について話し合ったのだが、科学と哲学は二人とも関心のある話題だった。この本はこの対話にもとづく一種の問答集である。

実際、アーロンと私が物理学の歴史を理解しようとして話し合ったやり方、すなわち、問答は、古代ギリシャではひじょうにポピュラーな教育方法だった。ギリシャの哲学者ソクラテスは、同胞のアテネの人々や弟子たちとの議論においてこれを実践した。

ソクラテスの一番弟子のプラトンはアテネにアカデメイアという学校を設立したが、そこでもおそらく同じ方法が広く用いられたであろう。プラトン自身の著作はきわめて重要なもので、それらはすべて問答の形式で書かれている。

ソクラテスとプラトンは、問答法こそがどんな話題を論ずる場合にも利用できるもっともよい方法だと信じていた。お互いが徹底的に「反対尋問」し、自分たちの論理を検討・吟味することによって、ソクラテスとかれの弟子たちは、自分たちの推理に含まれる欠点を見出した。

ソクラテスは、自分が知っているとおもっていることをじつは知らないのだということを自覚するとき、知恵は始まると信じた。ソクラテスは、弟子たちの思い込みに挑戦し、自分たちの考えを再検討するように促した。ソクラテス自身は物理学者として出発したが、壮年になると、倫理学の研究に専念するようになった。

弟子のプラトンは、数学や科学はもちろんのこと、倫理学と政治学にも興味をもっていた。プラトンは、どちらの話題についても対話を書いており、若いころはソクラテスの見解を踏襲することから始めたが、後には自分なりの見解を表明するようになった。科学の本性に関するプラトンの見解はひじょうに重要だが、ソクラテスの見解とは異なっており、しかもソクラテスの見解から発展したものでもなかった。

物理学史にとってのソクラテスの意義はプラトンとはかなり異なっているが、その意義は誠実な探究と反対尋問に関する見解を確立したことである。したがって、ソクラテスの物理学史への偉大な貢献は、かれが物理学者を辞めた後に生まれたのである。

ルネサンス期や一七世紀には、プラトンの思想はアリストテレスの思想より、いっそう人気を博するようになった。それまではアリストテレスの哲学が学者たちの思考を支配していたのであるが。皮肉なことに、アリストテレスはプラトンの弟子であった。

アリストテレスの世界観は、コペルニクスという天文学者によって批判された。その追随者の中には、ブルーノやガリレオがいた。ブルーノとガリレオは、科学的な対話を書いた。ロバート・ボイルも対話を書いたが、かれはイギリス王立協会の初期のメンバー中、もっとも重要な著作家である。一六六〇年に設立されたこの協会が、近代科学の時代を切り開いたのである。だが、科学に関する王立協会の公式見解は、科学が発展するのは対話によってではなく、実験によってであるというものだった。

この本の中で、この問題についてやや詳細に論じるつもりである。私の個人的な見解では、科学の活動は、問題およびその解決の試みからなる果てしのない対話であり、そうした解決の試みは不明瞭だとか、満足のいくものではないだとか、あるいは偽であるとして、批判されていくのである。科学は革命の連続であったし、いまもそうである。

この本の一般的な方向づけについて、次のことを言っておくべきであろう。私は自分の支持する二つの見解の総合を図ったということである。一つは、科学的方法は批判的方法であるという、私の先生であるサー・カール・ポパーの見解で、もう一つは、時代ごとに受け入れられていた形而上学的なフレームワークの中で科学理論が発展していくものとして物理学史を捉えるE・A・バートやA・コイレの見解である。私の総合の試みは、科学研究によって批判しうる複数の形而上学的なフレームワーク間の競合として物理学史を捉える歴史観である。

私は多くの歴史家の恩恵にあずかっている。とくにJ・バーネット、H・チャーニス、H・A・ヴォルフゾンらである。カント、エルステッドからファラデー、アインシュタインにいたるライプニッツ的伝統に関する私の見解は、ほとんどすべて第一次資料にもとづいている。唯一の例外が、M・ヤンマーの『空間の概念』に対するアインシュタインの序文である。ダニエル・グリーンバーグは、本書の編集に際して多大な努力をしてくれた。本当のところ、かれは共著者と見なされるべきである。

ヨセフ・アガシ

ボストンにて

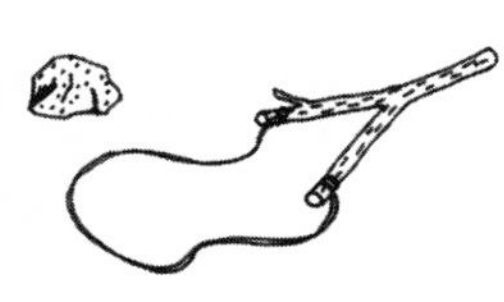

第2章 世界は何からできている？

科学者たちが追い求めてきたこと

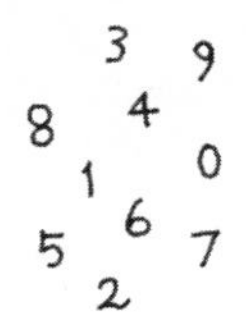

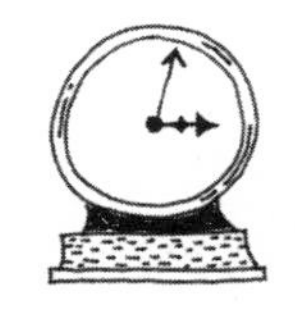

Ⅱ 情熱が定説を変える

COPERNICUS'S
CIRCLE

第1章

科学って何だろう?

この世界のしくみを解き明かす方法

I

「世界をよく理解する」ということ

ある朝、私は、ずっと話そうと思っていたことがあるのだが、とアーロンに切り出した。それは、人々が何世紀にもわたって、世界をよく理解しようとどれだけ努力してきたか、そしてまた、世界をよく理解することがいかに困難だったかということだ。

――「よく理解する」ってどういうこと?

うまく説明できるかどうかわからないけれど、それは人々が理解したいと思う内容と深くかかわっている。われわれみんなが悩んでいる問題がたくさんある。その中には重要な問いもあるが、重要でないものもある。

――うん、そうだね。くだらない問いって、たとえば、今日の朝食で、おとうさんが砂糖をまぶしたコーンフレークを食べたかどうかというようなことでしょう?

では、重要な問いの例を挙げることができるかな?

——たぶん。もし、ぼくたちが宇宙服をもたずに他の惑星にいきたいとしたら、そこに空気があるかを知らなければならないよね。

まさにそうだ。重要な問いもそうでもない問いもあるが、もし「重要」だとすれば、「何にとって」重要なのかを、言わなければならないだろう。もしぼくたちが宇宙服をもたずにある惑星に旅行したいのなら、そこに空気があるかどうかを知るのはとても重要だ。アーロンが言ったことはじつに当を得ている。

おそらく、つねに重要であるような一般的な問いもあるかもしれない。そのような一般的な問いの例を挙げることができるかな?

——えぇっと、もしもだれかが今日死ぬことがわかっているのに、しなければならない仕事がたくさんあるとしたら、その人にとって、次のような問いはとても重要なことだと思うよ。「自分はその仕事を終える前に死んでしまうのだろうか?」って。

そして、もしぼくが仕事をやりとげる前に死ぬことを知っていたなら、自分にできる仕事がその半分なのか、それとも四分の一なのか、というようなことを気にかける必要がそもそもあるか、と問いたくなるかな。

なるほど、そうだね。だれもがみんな、自分の仕事をすっかりなしとげる前に死んでしまうことを知っているのだから、問うべきは、われわれが仕事をすることや、仕事をまっとうできるかどうかということが、重大な問題なのかどうかだ。これはみんなが賛成してくれる重要な問いだ。

われわれは、死ぬ前におそらく終わらせることができそうな小さな仕事を引き受けるほうがよいのだろうか、それとも、われわれがたとえ二〇〇〇年生きたとしても終えられそうもない大きな仕事を引き受けるほうがよいのだろうか。

たとえば、もし人々が一生かかっても終わるはずがないとわかっている仕事を喜んで引き受けることがないとしたら、そもそも科学が存在しなかっただろうということは興味深い事実だ。科学は何世紀にもわたってつづいている仕事なのだ。多くの人々の貢献はほんのわずかで、しかも、その貢献の多くがよい結果をもたらすのを見ずに人々は死んでしまう。

しかしながら、三、四百年前、人々が初めて科学の研究を始めたとき、かれらは科学がそれほど大きな仕事ではなく、自分の一生のなかで完成しうると考えていたのだ。

——じゃあ、かれらはまちがっていたんだね？

そうだ、かれらはまちがっていた。だがわれわれは終わりっこないと知りつつ、この大きな仕事をつづけている。なぜならわれわれは、お互いに助け合いながら科学を遂行できると考えているからだ。つまり、たとえ一人ひとりの人間があちこちで死んでいくとしても、われわれはこの科学という仕事をつづけていくことができる。したがって重要な問いは、そもそもなぜこの科学という仕事をするのかということになる。

――うん、でも科学は本当のところ、いやな仕事ではないよね。だって、科学は面白いんだから。そうでしょう？

われわれが科学の仕事をするのは、ただそれが面白いからだというのだね。もしも、だれかが科学はつまらないと思ったら、その人は科学という仕事をする必要はないのだと。でも、それは、三、四世紀前にはあてはまらない考え方だ。

今日、科学は現に存在している。だれもが科学をよく眺めたうえで、それが面白いかどうかを判断することができる。そしてもし面白いと思ったら、そのときには、積極的に参加したいと思うだろう。われわれはだれでも、科学の本を読んだり、科学の授業に出たり、科学者と親しくなることによって、科学とはどのようなものかについて何らかの知見をもてる。

しかし、四〇〇年前には、科学はまるで存在しなかったのだ。今日の科学者のように相談できる人はいなかったし、科学に関する良い本もなかった。当時の本は混乱していて、理解するのが難しかった。

さて、ここでようやく重要な論点にたどりついた。アーロンは、私に「よく理解すること」の意味を尋ねたのをおぼえているだろう？

――おぼえているよ。ぼくたちはそこから出発したんだもの。

それについて、われわれに言えることが一つある。本の場合、「やさしく簡潔に書かれていたら理解できる」ということだ。

このような本を書くのはとても難しい。だれが自分は矛盾していないと言い切れるだろうか。人は自分の矛盾に気付かないものなのだ。

たとえば、もしだれかが、人間はみんなよい人だと言っていながら、自分の嫌いな人に会ったとき、こいつは悪いやつだと言ったとしたら、その人は、人間はみんなよい人だと言ったことを忘れてしまっている。その人は矛盾していることになる。

本自体が矛盾しているとき、もしくは矛盾しているかどうかさえ判断できないとき、その本を「よく理解する」ことは難しい。

さて、数百年前にあった本は、混乱していて、矛盾していた。われわれが「科学的だ」とよべるような本はほとんどなかった。今日われわれが科学者に期待しているようなふるまいをする書き手は、一人もいなかったと言っていい。

科学と宗教は正反対?

四〇〇〇年前には、アーロンのような子どもが科学者になるかどうかを決めるのは、とても困難だったろう。科学者になるとはどういうことなのかについて、いまとはまったく異なる考えをもったことだろう。四〇〇〇年前の学校で先生の話を聞いたとしたら、まったくちがったことを聞いたはずだ。

今日では、生徒たちは、学校へいって先生の話を聞くとき、しばしば「ぼくは先生なんか信じない」と言うかもしれない。アーロンの学校には、さまざまな宗教を信じている生徒がいるだろう。ユダヤ教の子もいれば、キリスト教の子もいるし、無宗教の子もいる。アーロンの学校の先生たちは、異なる政治的意見をもっている。

四〇〇〇年前はそうではなかった。四〇〇〇年前はユダヤ教徒とキリスト教徒は同じ学校にいかなかった。そしてユダヤ教の学校では、ユダヤ教の生徒がユダヤ教の本を読み、その本に書かれているいっさいが正しいと確信していた。カトリックの生徒はカトリックの学校へいったが、そこの先生はみなカトリックで、かれらは、自分たちの本にはまちがいなどないとまったく確信していた。

——ちょっと聞きたいんだけど、おとうさんがいま言っていることは、いったい科学とどんな関係があるというの？

じゃあ、科学って何だい？　と私は尋ねた。

——宗教とは正反対のものだよ。

先走るんじゃないよ、と私は語気を強めた。宗教とは何か、科学とは何かについてわれわれはまだ何も述べていない。それなのに、アーロンはすでに科学と宗教はお互いに正反対だと思っている。なぜそう思うのだ？

——ええと……。

簡単には答えられないはずだ。しかし、科学についても宗教についてもほとんど何も学んでいないのに、アーロンがすでに科学とは宗教の正反対のものだと感じているのは、とても興味深い事実だ。

もし四〇〇年前の人々がそれを聞いたら、ショックを受けただろう。なぜならかれらは、科学と宗教は同じように世界に関する真理の探究をしているものと信じていたからだ。

科学と宗教は正反対のものだと、さっきアーロンが言ったのと同じことを現在の多くの人々が口にするのは、四〇〇年前に意見の変化が生じたからだ。つまり、単純化して言うと、人々は自分の先生に立ち向かって争い、新しい意見を導入しようとしたのだ。このようにして重大な論争が始まった。

近代科学史においてもっとも重要な人物は、**ニコラウス・コペルニクス**（一四七三～一五四三）だ。かれはポーランドの天文学者で、一五～一六世紀に生きた人物だ。コペルニクスは、他のすべての人が当然だと思っていることを批判した最初の人であった。

ほとんどの人は、地球が宇宙の中心だと信じていた。この考えは、古代ギリシャの哲学者**アリストテレス**（紀元前三八四～紀元前三二二）の書いた本に現れ、それ以来ずっと信じ込まれてきた。人々は、宇宙全体が地球のまわりを回っており、人間は地球に住んでいるのだから、人間こそが宇宙の中心であると考えた。人間が宇宙の中心に位置することが、人間をとても重要なものにしたのだ。

当時、ほとんどの学者、教師、教会人が、人間は宇宙において尊厳ある地位を占めているが、それは神が人間のために宇宙を創造したからだ、と信じていた。だから、地球中心説は、宗教にとって、とても重要なものだった。

コペルニクスが、地球は宇宙の中心にはないと主張したとき、多くの人がコペルニクスの新しい考えに反対した。コペルニクスは、地球ではなく太陽が宇宙の中心にあると述べたからだ。

そのおよそ二五年後、**ジョルダーノ・ブルーノ**（一五四八〜一六〇〇）というイタリア人の修道士は、よりいっそう過激な意見を述べた。ブルーノは、宇宙の中心は地球でも太陽でもなく、宇宙全体には途方もなくたくさんの太陽や惑星系があると信じた。かれの天文学上の理論はかれの宗教と矛盾したので、かれは修道士としての生活を辞め、その新しい考えを説く教師となった。

いまのわれわれは意見の不一致を当然のことだと思っているが、ブルーノの時代はそうではなかった。カトリック教会の異端審問所は、ブルーノに対して教会の考えを信じなければならないことを懸命に説得しようとしたが、かれはそれを拒絶し、一六〇〇年、異端者として火あぶりの刑に処せられた。

――それはとてもひどい仕打ちだ。

ああ、それはとてもむごいものだった。そのときから人々は、さっきアーロンが言ったように、宗教と科学は対立するものだと考え始めた。科学はますます宗教との関係を絶っていった。当時のカトリック教会は新しいアイデアを嫌ったからだ。宗教は、人間が宇宙の中心で、とても重要なものだと教えていた。

コペルニクスとブルーノは人々を仰天させるような考えをもっていた。一人は、宇宙の中心は太陽であると言い、もう一人は、宇宙には中心がないと言った。コペルニクスにとって宇宙はとても巨大で、ブルーノにとって宇宙は無限だった。二人には、人間はとてもとてもちっぽけなものであるように思われた。

人間は、自分たちが重要な存在なのかどうかを、いつも知りたがっていた。このことを知るために、かれらは何らかの世界像を必要とした。世界はどのくらい大きいのか、人類はどのくらい偉大なのか、そしてこの世界で人間にふさわしい場所はどこなのか、などについての世界像を。

四〇〇年前、科学が始まったとき、科学者たちは問いうるもっとも重要な問いを発した。すなわち、どんな種類の世界にわれわれは住んでいるのだろうか、またこの世界の中でわれわれはどれくらい重要なのかと。

科学者たちは重要な問いを発する。そして、たとえ一生かかってもそれらの問いに答えられなくても、われわれはその研究を喜んでつづけようとする。

その答えは、われわれが死んでからずっと後になって明らかになるかもしれない。ひょっとしたら、けっして見つからないかもしれない。答えが見つかる確信がもてなくても、われわれには答えを探し求めることができる。

なぜジョルダーノ・ブルーノは火あぶりにされた？

一七世紀、新しい思想を信じる人々がグループをつくりだした。かれらはいまでは「科学者」として知られるようになっている。一方、新しい思想を憎み、恐れていた人々は、宗教組織やその他の組織、その中には、世界中のかなりの多くの主要な大学も含まれているが、そのような組織を中心として集まっていた。

しかし、この二つのグループの大きなちがいは、かれらが宗教的か非宗教的かとか、科学的か非科学的かということではなかった。大きなちがいというのは、新しい思想を歓迎するか、居心地のよい古い思想の保持を望むか、にあった。

――ぼくが知りたいのは、なぜ、ジョルダーノ・ブルーノが火あぶりにされたのかということなんだ。

それは、とても重要な質問だ。その答えを理解するためには、ジョルダーノ・ブルーノの時代においては、人々が新しい思想から生じる変化を恐れていたことを理解しなければならない。

一七世紀の初めには、このような新しい思想を抱いている人はほとんどいなかった。どの世代の人もその前の世代の人に教わったのと同じ物事を学校で教わるのがよいことで、しかも適切なことだと考えていた。今日われわれがまわりで見るような新しい機械も技術もなかった。かれらがもっていたどんな機械も原始的で単純なものだった。

かれらの生活全体は、自分たちがすでに得たもの以上に発展させることはできないという思想にもとづいていた。したがって、かれらにできる最善のことといえば、古い思想を維持することであった。当時の人々はまた、古代のヘブライ人とギリシャ人がこれまで生きていた中でもっとも素晴らしい人々だと信じていた。ヘブライ人は神と話し、ギリシャ人は見出しうる最良の科学的な見解を考え出した。

その後の世代の人々は、ギリシャ人とヘブライ人の考えをただひたすら確実に保存しなければならなかった。言いかえると、コペルニクスやブルーノの時代にあっては、人々は進歩というものを信じていなかったのだ。人類に起こりうる最良の物事はもうすでに起きてしまったのだ、とかれらは信じていた。新しい思想は、最良の古い思想から人々を遠ざけるだけだ、と。

——だからって、なぜ火あぶりなんかにされなきゃならなかったの？

新しい思想を危険なものだと信じていた人々は、そのような思想を阻止するためには何かしなければならないと考えた。かれらはジョルダーノ・ブルーノが社会全体に対して大きな損害をあたえていると感じた。そこで、すべての人が新しい思想をもちはじめるのを許し、それによって注意深く築き上げてきたいっさいのものの破壊をもたらすよりも、一人の男を火あぶりにしたほうがよいと考えたのだ。

進歩というものを信じなかったこれらの人々はとても真剣な人々だった。かれらはできるかぎり最良な社会、最良な学校、最良な生活の維持をとても強く望んでいたのだ。かれらは部分的には正しかった。ヨーロッパの中世（あるいは、われわれはこの時代を「暗黒時代」ともよぶのだが）における生活は、戦乱や疫病に見舞われ、厳しくまた原始的だった。読み書きができる人もほとんどいなかった。

その後ゆっくりとではあるが、人々は、古代世界の著作を発見していった。アラブ人やユダヤ人の著作を通して古い世界のことが伝えられてくるにしたがって、かれらは、そこからできるかぎり多くのことをとり入れようとしはじめた。

かれらは多くのことを古代ギリシャ人から学んだ。それはギリシャ人には学問があり賢かったからだが、このようにして、過去をふり返ることはよいことだという考えが生まれた。なぜなら、過去をふり返ればふり返るほど、いっそうギリシャ人のようになることができ、しかもより幸福になれるからだ。

過去をふり返る過程は何世紀もつづき、より以前の世紀に失われていたものの一部をとり戻した。古代世界はキリスト教が広まってからまもなくして衰退し始め、六世紀には暗黒時代のもっとも暗いときを迎えた。

アラブ世界から（主としてユダヤ人によって）キリスト教世界にもたらされた古代の知識のおかげで、「古代への目覚め」がおよそ一二世紀から一六世紀にかけて生じた。過去をふり返ることによって改善しようとする努力が四世紀ものあいだつづいたことになる。

そしてその次に、コペルニクスやジョルダーノ・ブルーノがやってきた。かれらは過去をふり返るだけでなく、未来にも目を向け始めていた。こうした態度が、ふり返ることによって得られたよい成果をすっかり破壊してしまうのではないかと恐れられた。人々は、コペルニクス革命以前に手に入れたすべてのよきものを失うことを恐れたのだ。

コペルニクスが起こした革命

——なぜ「コペルニクス革命」とよばれるの？

コペルニクス革命とよばれるのは、当時コペルニクスにならう人々があまり過去をふり返らなくなり、よりいっそう未来に目を向けるようになったからだ。当時、未来志向であることはとても革命的で、驚くべきことであり、また信じがたいことでもあった。特筆すべきは、コペルニクス自身でさえ、ほとんど過去に目を向けていたということだ。

今日、ほとんどすべての人が未来志向的だ。この変化は、われわれがしばしば忘れてしまいがちなことだ。革命の主な結果として、人々は過去よりも未来に目を向けるようになったのだが、これこそが革命とよばれる理由なのだ。

――「太陽が宇宙の中心だ」という考えは、そんなに新しいものだったの？

実際には、それは古い考えだった。コペルニクスが最初にその考えを思いつき、その後で同様の考えを古代の文献の中に見つけたのか、それとも、かれはその考えを古代の文献の中で初めて発見し、しかもとても気に入ったのでそれにならったのか、そのどちらなのかわれわれにはわからない。

しかし、それは確かに古い考えであった。太陽が宇宙の中心だという考えは、**アリスタルコス**（紀元前三一〇？～紀元前二三〇？）という古代ギリシャ人によって説かれたものだった。今日、かれの本はもはや存在しないけれども、コペルニクスがアリスタルコスの考えを真剣にとり上げた最初の人であることは知られている。

——なぜ、それ以前の人々はアリスタルコスを信じなかったの？

自分でも真剣に考えてごらん。地球全体が動いているという考えはかなり現実ばなれしてはいないかな？　アーロンは地球がどんなに大きいかを知っているだろうし、地球が太陽のまわりを回るためにはどんなに速く動かなければならないかということもわかるだろう。また、地球が二四時間で昼と夜をくり返すためにはどのくらいの速さで自転をする必要があるかもわかるだろう。

地球というこの巨大な物体が自転しつつ、かなりの速さで太陽のまわりを回っているなどと信じられるかい？　だれかがそう言ったからという理由だけで。

——うーん、科学者がそう考えるなら、ぼくはそれを信じるよ。

この点では、アーロンも前向きではないと思うよ、と私は笑いながら言った。ただ科学者であるというだけで、科学者を信じてしまうのはとても非科学的なことだ。単に教師だからという理由で教師を信じてしまうことがとても非科学的であるのと、ちょうど同じように、だ。

この地動説の考えがそれ以前のものよりも優れていると思える理由を自分で説明しなければならない。そして、自分の考えのほうが、よりよい理解をあたえること、世界についてのより正しい像であることを示さなければならないはずだ。

——でも結局、「よい理解」って何なのさ？

私にも、まだそれをうまく説明することはできないんだ。コペルニクスもまたその時代の人々もそれが何であるのか知らなかった。しかしかれらは一つのことは知っていた。すなわち、かれらは世界についてよく理解することは可能であると心から信じており、自分たちより以前のギリシャ人たちはそのような理解をもっていたと信じていたのだ。

中世の人々は、自分たちの生きている状況をどのようにしたら改善できるのかわからなかった。かれらは悲惨、無知、貧困、戦争、そして疫病の中に暮らしていた。そして当時の学者たちは、人々がそれほど無知でなかった黄金時代の物語を語っていた。

――「黄金時代」ってどういう意味なの？

この黄金時代というのは世界のもっともよい時代につけられた名前で、古代ギリシャの歴史時代のことだ。人々は、黄金時代が終わったのは人間が何か悪いことをしたからだと信じていた。そして、かれらは、もし自分たちが一生懸命に徳をつめば、黄金時代は復活するだろうと考えていた。

中世のもっとも重要な学者たちは、どうしたら黄金時代を復活させることができるのかという問題に関心をもっていた。かれらはその答えを黄金時代、すなわちギリシャや古代イスラエルの文明に残る古い書物の中に探し求めた。

しばらくすると、奇妙なことに、事態がよい方向に動き出した。黄金時代から残る書物やこれらの書物に関する理解が、西欧にますます多くもたらされるようになったのだ。西欧の人々は主としてラテン語を読んだ。かれらは世界の他の地域との接触をもっていなかった。なぜなら、かれらはカトリック信者でない人々とのつき合いを望んでいなかったからだ。

西欧には、少数のユダヤ人が住んでいたが、かれらは世界の他の場所にいるユダヤ人と接触をもっていた。そのような地域にはギリシャから伝わる書物をもつ多くのアラブ人もいた。これらの書物はアラブ世界からキリスト教世界へ伝えられ、ラテン語に翻訳された。このようにして、人々は黄金時代に関するさらに多くの情報を手に入れた。

人々はまた黄金時代にはなかった新しい知識も身につけた。かれらは羅針盤や火薬について学んだのだ。一五世紀の終わりには、さらに重要なできごとも起きた。アメリカ大陸の発見だ。中世のヨーロッパ人は突如として、ギリシャ人が知らなかった物事を自分たちは知っているのだという気持ちを抱きはじめた。そこで、一部の人々は、「われわれは自分たちが考えているほど愚かではないかもしれない」と言い出した。

他にもさまざまな理由で人々は自信をもつようになり、自分たちもまた何かをなしとげることができると信じはじめた。アメリカ大陸発見以前にも少しは見られたが、かれらは新たな事業達成にともなって黄金時代を復活させようと試みた。

このようにして、コペルニクス革命の時代は再生に乗り出したので、現在、その時代はルネサンス（再生）として知られている。再生に向けた運動はイタリアで始まったが、その人々は古代ギリシャやローマで生活していた人と同じような生き方をしようと努めた。かれらは、ギリシャ・ローマ的な様式で絵を描き、彫刻をし、本や詩を書いた。

アメリカ大陸発見後まもなくして、コペルニクスやその後につづく**ガリレオ・ガリレイ**（一五六四〜一六四二）は、ギリシャやローマの科学を再び創造しようと試みた。

――それはとてもたいへんなことだったろうね。

実際、それはとても困難だった。ギリシャの絵や彫刻は、壊れた彫刻や断片的な模造品だけしかなかったし、ギリシャの本も十分にはもっていなかったからだ。しかしかれらは、ギリシャ的生活様式を再構成しようとして、とても一生懸命に努力した。

かれらがギリシャ的生活に見出したものは、寛容であった。ギリシャ人はさまざまな意見をもっていたのだ。ルネサンス科学やコペルニクス革命の中でもっとも重要な発見はおそらく、ギリシャ人がすべて同じ意見をもっていたわけではないということだろう。素晴らしい人々であるギリシャ人が異なる意見をもっていたのだから、「われわれもまた異なる意見をもってなぜいけないのだろう」と多くのヨーロッパ人は考えるようになった。

コペルニクスは、古代ギリシャにおける意見の相違を指摘した人物だった。かれは、宇宙の中心について他のすべてのギリシャ人に同意しなかったアリスタルコスを発見した。

おそらくギリシャ人がみんな同じくらいに素晴らしかったわけではない。ある人々は他の人々より優れていたにちがいない。そこで西欧の人々は、ギリシャの何を研究し、何を見習うかを決めるために、自分自身で考えるようになっていった。

――コペルニクスはどうしてアリスタルコスが正しいと信じたの？

この問いには二つの答えがある。一つは科学史において重要なもの、もう一つは宗教史において重要なものだ。コペルニクス自身はとても宗教的な人だったので、われわれがおこなう宗教と科学の区別を理解しようとはしなかっただろうが。

科学的な答えは、地球が宇宙の中心にあると信じている人々のとなえる理論が、単純でも簡潔でもなく、複雑きわまりないものだったということなのだが、これについては別の日に説明しよう。

コペルニクスにとって、より重要だった宗教的な答えは、太陽を宇宙の中心に据えることによってよりよい理論を生み出すことができるとかれが信じたことだ。太陽は神の象徴なので、太陽こそが宇宙の中心にあるべきだからと。コペルニクスは、太陽は神の目か、あるいは神の王座のようなものだと信じ、したがって、太陽こそが、宮廷において王座がその中央にあるように、宇宙の中心になければならないと信じたのだ。

以上のすべてのことが、コペルニクスすら夢にも思わなかった結果へとどのようにして発展していったのかは、後々見ていくことにしよう。

ところで、ここまでで興味深いのは、コペルニクスがアリスタルコスを信じたのは、ギリシャ人が優秀な人々だと信じたからだけではなく、自分自身の独自の宗教的見解をもっていたからでもあったことだ。別の言い方をすると、コペルニクスは、神に関する理論においても、また星々に関する理論においても、かなり独立心の旺盛な人物だった。

コペルニクスは偉大なルネサンス的人間の一人だった。ルネサンス的人間は、古代ギリシャの生活の再生、すなわち各人が自分の頭で考えるという生活の再生に努めたが、これこそが進歩のカギだったんだ。

Ⅱ どうしてみんな科学を信じるの？

アーロンは不機嫌そうに見えた。なぜなら、アーロンが科学者の言葉を鵜呑みにしているのを「非科学的だ」と私が言ったからだ。いよいよ、かれは反撃してきた。

——ほら、科学者はいろいろな近代的な道具をもっているでしょう。だから、ぼくは科学者を信じるんだ。かれらは望遠鏡や顕微鏡をもっている。でも顕微鏡を見る場合、都合の悪いことが一つあるのは認めなければならないけど。それは、原子を見ることだ。どんな強力な光学顕微鏡でさえも、原子を見ることはできないんだ。

それなのに、科学者が原子について語るときでも、科学者を信じるわけだ。科学者を信じる理由として、どうして近代的な道具をもち出さなきゃいけないのかな。レンズがどれだけ進歩しても、原子を見るのに役に立たないことを認めているというのに。

——もちろん認めるけど。

にもかかわらず、科学者たちは原子の存在を信じている。

——うん。加速器を使えば、原子そのものではないにしても、原子の結果を見ることができるんだもの。

ということは、科学者に原子を見ることができなくても、原子について知る手がかりになる近代的な道具をもっているから、科学者が原子について述べることをアーロンは信じるんだね。

——そうだよ、かれらは結果を見ることができるんだ。

かれらは原子のふるまいの結果、あるいは効果を見ることができる。しかし、アーロンはこのような近代的な道具をよく熟知しているわけではないだろう。そうした道具のいくつかは使ったことがあるかもしれないが、ほとんどの道具は使ったことはないだろう。望遠鏡を覗いたり、顕微鏡を見たりはしたとしても、科学的な実験や観測のやり方のようにそれを用いたわけではない。

それなのに、アーロンは科学者を信じている。だれもがまちがいをおかすというのに。科学者がまちがいをおかすとは思わないのかい。

――科学者がまちがいをおかすのは、道具に異常があって、しかもそれに気づかないときだよ。

それは、まちがいをおかす仕方の一つにすぎない。

――他には、たぶん、望遠鏡を使って見ている事物があまりにも遠くにあるので、望遠鏡によっても科学者の目が信頼できなくなるとか。

それもう一つの可能性だ。目がおかしいかもしれないし、また神経がおかしいかもしれない。

――神経だって？

そうだ。目から脳へメッセージが伝わるには時間がかかる。人々が事物を見たとき、それをいつ見たのかについて、まちがいをおかすこともありうる。なぜなら、素早く見る人も、時間をかけてゆっくり見る人もいるからだ。あらゆる種類のまちがいは、道具においても、また見ることにおいても生じるかもしれない。

しかし、この他にも、別のものを見ているのに、同じものを見ていると思いちがいをすることもありうる。これまでにアーロンは、その人本人ではないのに、自分の知り合いの人に出会ったと思いちがいをしたことはないかい？　そんなことは、しょっちゅう起きるんだ。

さらに、科学者が観察や道具においてまちがいをおかさず、また、見ているものが何なのかを正確に知っているとしても、それでもなお科学者は、自分の考えていることが正しいかどうかを知ることはできないだろう。

もう一度、コペルニクスに戻ろう。コペルニクスは空の恒星や惑星を観察した。他の人々もそれらを見た。だがコペルニクスは、宇宙の中心はある一つの場所にあると主張し、他の人々は別の場所にあると主張した。かれらは同じ天空を見たが、人間は、原子を見ることができないのと同じように、宇宙の中心を見ることもできないのだ。もっとも大きな望遠鏡でも、宇宙の中心を示してはくれないだろう。

「宇宙には中心があるのか、もしあるとすれば、それはどこにあるのか」という問いは、望遠鏡が直接に答えるものではない。

そこで、科学者は思考し、観察する。そして、かれらは観察や思考の中でまちがいをおかしうるのだ。それなのに、なぜ科学者を信じるのだい？　先生は信じないのか？　それ以外のだれかは？

――科学者は自分の観察したことをもとに科学について語ってくれるわけではないの？

それはそうだけれど、科学者は自分が観察していないことについても語るのだよ。中世の人々が当時の学者――ふつうは聖職者だったが――を信じていたように、アーロンは、科学者の権威を信じている。

しかし、中世の多くの人々とちがっているのは、アーロンはすでに「なぜ、科学者を信じるべきなのか」という疑問をもち、それに答えようとしていることだ。科学者は観察し、しかもたくさんの近代的な道具を用いて観察をしているから、科学者を信じるのだと。これに似たような答えを学校や本でたしかに聞いたことがあるかもしれない。

いまでは、アーロンは、科学者が直接観察できない事柄についての意見をもっていることも知っている。だから、観察には限界がある。

コペルニクスだって「ぜんぶ正しい」わけじゃなかった

では、もう一度、本当に自分に訊いてみるといい。「そもそも、なぜわれわれは科学者を信じるべきなのか」と。科学者といえどもまちがいをおかすことを知っているとしたら、なぜアーロンは科学者を信じるのだろう。

——うーん、でも科学者はほとんどの場合、まちがうことはないでしょう？

では、コペルニクスの理論を考えてごらん。その理論によると、太陽が宇宙の中心にあって、惑星は太陽のまわりを円軌道で動いているという。アーロンはこの理論が正しいと思うかい？

——太陽は宇宙の中心にはないよ。太陽は太陽系の中心、少なくとも、ぼくたちの太陽系の中心にあるんだ。

では、コペルニクスはまちがったことを言ったのだね。

——うん。

だとすると、ほとんどの場合、科学者がまちがうことはないというのは、あまり正しいとは言えないのではないかな？　なぜなら、科学者であるコペルニクスの言ったことがまちがっていたのだから。

――でも、ほとんど正しかったよ。

ほとんど正しかったというのはどんな意味かな？

――この意味をどう説明したらいいかはわからないけど。

では手伝ってあげよう。太陽は、宇宙の中心ではないとしても、太陽系の中心にはある、というのがアーロンの言いたいことかな？

――ほら、太陽系は宇宙の一部だよね。じゃあ、この太陽系が宇宙の中心にとても近いところにあるとしたら、コペルニクスはほとんど正しいと考えられるじゃないか。

そうだね。だけどアーロンは、太陽系が天の川銀河の中心にないことを知っている。だから、それは正しくない。さらに進んで、**アルベルト・アインシュタイン**（一八七九～一九五五）の理論を見てみよう。アインシュタインによれば、そもそも宇宙には中心などなく、科学者は計算のために、どこでも好きなところに中心を置くことができるという。実際のところ、本当に中心はないのだ。

したがってここには、科学者コペルニクスに異議をとなえるもう一人の科学者アインシュタインがいることになる。この二人の考えが異なるのであれば、どちらかがまちがっているにちがいない。

——でも、両方ともまちがっているかもしれないよ。

両方ともまちがっているかもしれないが、少なくともどちらかはまちがっているにちがいない。このことは認めるだろうね？

——何だかこんがらがってきた……。

アーロンはやっと、道具や観察は助けにはなるかもしれないが、すべてのまちがいをとり除いてくれるわけではなく、科学者が正しいということを保証してくれるものではないということがわかったはずだ。

しかし、次のことは言える。実験や観察について知っている科学者は、実験や観察について知らない科学者がおかすようなまちがいはしないと。このことは認めるね？

——うん。

そこで、一つ言えることは、われわれは「観察と矛盾しないような最良の考えを探し求めている」ということだ。コペルニクスには二人の偉大な追随者がいるが、その一人がガリレオ・ガリレイという人物だ。かれは一六世紀末から一七世紀初めに、イタリアで学び、研究した。ガリレオは、われわれが自分の目だけを頼りにしたら混乱するだろう、そうではなく、観察に先だって、われわれは自分が何を見つけたいと思っているのかについて考えなければならないのだと言った。

「ガリレオの仮説」が画期的だった理由

ガリレオは次のような問いを発した。「もし自分が月にいて、地球を眺めたとしたら、水面と陸地のどちらがよりなめらかだろうか」と。

——だいたいのところ、海のほうが陸地よりなめらかだよ。

そのとおり。では、ガリレオの次の問いはこうだ。「月にいて、地球の海と陸地を見た場合、どうやったら、どちらが海でどちらが陸かを見分けることができるだろうか」と。

——もし月からアメリカを見つけたいならば、下の隅っこに小さなしっぽがあるところを探せばいいよ。

それは素晴らしいけど、と私は答えた。アーロンが地球にきたことが一度もなく、またアメリカが陸地だとは教わっていないときに、アメリカが陸地で、その両側の部分が海であるの

か、それともその逆で、アメリカが海で、その両側が陸であるのかを知りたいとしたらどうするだろうか？　このような問いに対する答えをどうやって見つけるだろうか。

手がかりを教えよう。太陽は地球を照らしているから、月から見ると、（まるで地球から見る月のように）地球は明るく見える。陸地と海のどちらが明るく見えるだろうか？

――水面だよ。なぜなら、水面のほうが陸地よりなめらかだから、陸地よりもかがやくんだ。

では、一つの話をしてあげよう。ガリレオの時代には、水面のほうがよりなめらかだから、月から見た場合、水面のほうが陸地より明るく見えるだろう、と人々は確信していた。かれらは言った。「壁にかかった鏡を見なさい。鏡と壁のどちらが明るいだろうか」と。

――鏡だよ。

鏡のほうが壁より明るい。なぜなら、鏡のほうがよりなめらかだから。そうだね？

――そうだよ。

したがって、海面のほうが陸地よりもかがやいているということになるね。

――うん。

では、月はかがやいているのだから、水か鏡のようなものでなければならないね。

――月はかがやいているけど、月に水はないよ……。月は土だけでできているんだ。

だが、十五、六世紀の人々は、月は水晶でできた大きな鏡のようなものだと考えていた。ギリシャ人もそう信じていたからだ。

——でも、それは正しくないよ。月は土でできているんだもの。

だけどかれらはそれをどうやって知ることができたのだろうか。アーロンは、鏡のほうが土よりかがやくことに賛成した。そして、月は太陽の光によってかがやくことにも賛成した。それならば、月が鏡でできていることにも賛成すべきだろう。では、教えてくれ。月が土でできているなら、どうしてそれはかがやくのだろうか。

——わからない、それはとても難しい問題だよ。

たしかにこれは難しい。そして、この問題に答えた人物がガリレオなのだ。人々はこの問題を注意深く、徹底的に考えてはいない、とガリレオは言った。鏡は壁ほど明るくはなく、むしろ壁より暗いというのが事実なのだ。

みんなは次のような理由から鏡のほうが明るいと考える。日光が鏡にあたると、光は反射し、われわれは鏡の反対側にある壁に光の点を見る。こうして、まるで鏡がとても明るいように見える。日光のあたった壁に向かって立ち、その鏡を見た場合はとくにそうだ。われわれは鏡の中に太陽を見て、鏡はまぶしいと言う。

しかし、それ以外の場所から鏡を見ると暗く見える。なぜなら、鏡にあたっている太陽の全光線は一つの方向に反射するからだ。その一方向からは、鏡はとても明るいが、他のすべての方向から見れば鏡はとても暗い。

さて、あまりなめらかではない壁を例に挙げよう。われわれはそれを注意深く、たとえば、顕微鏡を使って見ることができる。そうすると、壁は、たくさんの小さななめらかな部分、小さな鏡からできていることがわかるが、それぞれはさまざまな方向を向いていて、それぞれにあたる日光はさまざまな方向に反射しているのだ。

壁が明るく見えるのはただ一つの方向からだけではなく、あらゆる方向から明るく見えるだろう。だから一つの方向からは鏡のほうが壁よりも明るいが、ほとんどの場所からは壁のほうが鏡より明るいのだ。

――わかったけど、ついていくのがとても難しい。

そうか、と私は言った。私はとても簡単な実験を述べたつもりなのだが、その実験を追いかけるのがアーロンにはすでに難しいようだ。実験をもう一度くり返してみよう。

もし日光が壁にあたったら、壁はあらゆる方向から明るく見えるが、それほど明るくはない。壁に鏡をつるして、その鏡に日光があたったら、ただ一つの方向だけから鏡は壁よりずっと明るく見えるが、それ以外の方向からだと鏡は壁より暗く見える。

さて、月について考えてみよう。夜、月はさまざまな方向から明るく見える。このようにしてガリレオは、月が鏡でできているのではなく、陸地でできていることを発見した。つまり、

ガリレオの望遠鏡で覗くと、古代ギリシャ人の言うなめらかで「完全な」月面に、山やクレーターのくぼみがあることが明らかにされた（1610年に出版されたガリレオの『星界の報告』より）。

月は土であり、水晶ではないのだ。また、月に山や谷があるのを発見したのもガリレオだ。

さて、アーロンは月の暗い部分を見たことがあるだろう。ガリレオの時代、月が水晶でできていると言っていた人々は、月の暗い部分が何なのかを自ら問うことはほとんどしなかった。しかし、ガリレオは、これらの暗い部分について考えた。もしわれわれが月から地球を見たら、陸地は明るく見えて、海は壁の鏡のように暗く見えるだろう。そうすると、月にある暗い部分について、ガリレオの結論は――

――海と水だ！

かれは正しかったかい？

――ううん、科学者が知っているかぎり、月には水がないんだ。

ほら、ここにも興味深いことがあるだろう。ガリレオは、鏡と壁というみんなが知っている実験を再現した。

それはとても単純な実験だが、それについて考えることはとても難しい。そして、ガリレオはそれについて注意深く考えて、月には陸地があり、海があると決定した。かれは部分的にまちがっていた。というのも、月には水がないからだ。しかしかれは、月は鏡であると主張した人たちよりも真理に近づいた。

ガリレオはまた自分で望遠鏡をつくった。かれは望遠鏡を通して月を見た初めての人で、月に山を見たのだ。月の山はどのように見えると思うかな。

——実際には地球の山と同じだよ。

それが本当なのは、とても強力な望遠鏡をもっているときだけだ。とても強力な望遠鏡を使えば、月の山を見ることができる。しかし、ガリレオの望遠鏡はとても粗末なものだった。かれは、山を見ることはできなかったが、とても賢明だったので、山がそこにある場合の結果をたしかめようとした。太陽がのぼってくるのを先に見るのは、山と谷のどっちだと思うかい？

——山の上だ。

すると、太陽がのぼる前の谷のほうが、太陽がすでにのぼった山よりも暗いのではないかな？

——当然だよ。

アーロンは「当然」だと言うが、それを考えつくにはガリレオのような人物を必要としたのだ。アーロンが月にいるとして、山と谷を見たら、どのように見えるかわかるかい？

――初めに山が明るくなって、それから少し遅れて、谷が明るくなる。

では山がすでに明るくてまだ谷が明るくなる前、谷はどのように見えるかな？

――暗いよ。

ガリレオの心の中に浮かんだことはまさにこのことだ。もし人が月の端に暗い影を見たら、遅かれ早かれその暗い影は消えるだろう、なぜならそこは月の谷であって、そこに太陽の光が差し込むからだ、とガリレオは言った。

ガリレオの心の目には、月に旅行し、月の谷に立って、太陽が谷に光があたるところまで、のぼってくるのを待っている自分が映ったのだ。かれは実際に月に旅行したのではなく、望遠鏡を使った。望遠鏡を通してかれは、暗い点が消えていくのを見て、月に山があることを理解したのだ。

――ガリレオ以前の人々がよく考えていなかったことと、そのためにかれらが多くのまちがいをおかしたことを、ガリレオが、どのようにして明らかにしたのかがわかったよ。ところで、ガリレオは他の人々にまちがいを教えてあげなきゃいけなかったんじゃないの？

われわれは、人々のまちがいを必ず明らかにしなければならないわけではない。それは、個々の人々の問題だからだ。もしかれらがアーロンのところにやってきて、かれらの考えについてどう思うかと尋ねたら、次のように言えばよい。「とくに話すことはない」とか、あるいはまた、親切にも「ほら、君たちは少しまちがいをおかしているとぼくは思うよ。ぼくに発言させてくれるなら、君たちのまちがいを正してあげよう。そうすれば君たちは次にはもっとうまくできるかもしれない」とね。

これが成立するのが自由社会だ。だれもがまちがいをおかす権利をもっている。もし友だちがまちがいをおかしたら、それを正すことができる。もしその人が友だちではなかったら、その人のまちがいをあえて正す必要はない。

——だけど、もし人々がまちがっていることを明らかにすると火あぶりになるかもしれないなら、自分に同意してもらえるようにかれらに示すことが重要だね。

賛成はできないね。だれかを火刑に処すような人々は、たとえかれらのほうにまちがいがあることを示したとしても、同意してはくれないだろう。人を火刑に処すような人々は、自ら進んで他人の話に耳を傾けるような人々ではない。これがガリレオの時代のやり方だったのだ。

「偉大な発見」を生んだアイデア

対話の続きを始めようとしたとき、アーロンの顔は心配そうな表情に見えた。そこで、私はかれを元気づけることから始めた。人々はガリレオを畏れていたから、かれは火あぶりにされなかった。とにかく、カトリック教徒のみんながみんな、火刑に処す人々の側についていたわけではない。

ローマにあるローマ学院では、人々は天文学を勉強したし、その大学の天文学者たちはガリレオに耳を傾けた。ガリレオは、フィレンツェからローマへはるばるやってきた。かれはもう若くはなく、病気にもかかっていたが、訪れたのだ。かれは自分のつくった望遠鏡とその研究成果を天文学者たちに見せ、自分の見解について、かれらと議論をした。

かれはその天文学者たちを納得させたが、ローマ法王を納得させることはできなかった。また、そのわずか十二、三年前に、ジョルダーノ・ブルーノを火あぶりにしたベラルミノ枢機卿を納得させることもできなかった。

――ガリレオはかれらにいったい何を見せたの？　月にある山を見せたの？

そうだ。ガリレオは自分が観察した月にある山やその他のものについて議論した。かれの発見でとても興味をそそられるものの一つが、木星の衛星、すなわち木星の月だ。アーロンは、惑星の衛星をどうやって発見するのか知っているかな？

――えっと、まず惑星を見て、それから、望遠鏡を動かして、注意深くその惑星のまわりを見回す。

すると何が見えるんだい？　見えるのはその惑星の近くにある、星のようなほんの小さな点だけだ。問題なのは、それらの点が木星の月であって、木星の近くにあるかのように見えるだけのとても離れた星ではないことをいかにしてたしかめるのかだ。

――衛星は惑星のまわりをいつもぐるぐる回っているから、その運動によってどれが衛星なのかわかるんだ。

どんな運動によってかな？　と私は尋ねた。

――円を描いてぐるぐる回る運動のことだよ。

しかし、それらの点が円を描いて動くのは見えないだろう。それらが時には惑星の右に見えたり、時には惑星の左に見えたりするだけだ。観察されるのは、衛星の惑星からの距離がたえず変わるとしても、その変化がいつも小さいことだ。ただ見るだけでは衛星を観察することはできない。

見て、そして、考えなければならない。衛星ならどのように見えるのかを考えなければならない。次に、それを観察できるかどうかを、見てたしかめなければならないのだ。

——そうか、思いもよらなかった。

よし、だとすると、たとえかなり強力な望遠鏡をもっていたとしても、アーロンが衛星を発見することはけっしてできなかっただろう。衛星が惑星のまわりを運動するという事実について徹底的に考えないと、衛星を発見できるはずがないのだ。

それでは、何でガリレオは衛星について考えたのだろう？　衛星を探しさえすればそれを見ることができると考えた最初の人物がガリレオだったのはなぜだろうか。

その理由は「月の山」にあったんだ。コペルニクス以前の人々は、地球が宇宙の中心にあり、しかも地球は地球以外のすべての宇宙とはまったく異なっていると考えていた。地球以外の宇宙は、月、太陽そして星々からなり、それらはすべて高貴な物質でできているが、他方、地球は、泥や棒、石ころなどといったみすぼらしい物質でできている。

これら一六世紀の人々は、一方では、地球は宇宙の中心にあるからとても重要なものだと言い、また一方では、星々が水晶や火、あるいはそれらよりももっとすばらしい物質でできているのに、地球は棒や石ころのような物質でできているので、地球は「みすぼらしい」とも言ったわけだ。

ガリレオは、コペルニクスの正しい面を明らかにした。なぜならガリレオは、地球と月のあいだには何の差異もないことを立証したからだ。地球と月はどちらも山があり、棒や石ころのような物質でできている。したがって、地球が宇宙の他の物体と著しく異なっていると想定する理由はまったくないのだと。

ところで、地球には月があるが、その地球が他の惑星と似ているならば、おそらく他の惑星にも月があるかもしれないとガリレオは考えた。かれは火星付近に月を探したが、発見できなかった。かれの望遠鏡は性能が悪く、しかも火星の月はとても小さかったので、それらを見つけることができなかったのだ。

ガリレオがなしとげたもう一つの偉大な発見について話したいことがある。コペルニクスによると、太陽系の惑星は、月が地球のまわりを回るように、太陽のまわりを回っている。そのことは、知っているね?

——うん。

そして、月は光を太陽からもらっている。

——反射しているだけだ。

まさにそのとおりだ。月は太陽の光を反射しているが、そのために、月は時に応じてちがった形に見えるのだ。これが月の満ち欠けだ。満月が次に半月となり、それから新月になり、そして半月となり、また満月になる。

コペルニクスが主張したように、金星が太陽のまわりを回っているならば、すなわち、金星が太陽の「月」だとすれば、金星も、月と同様に、満ち欠けをするだろう。おそらく、望遠鏡を用いれば、金星がその形を変えていくのを見ることができるかもしれない。

――どうかなあ。でも、もしすべての惑星が太陽のまわりを回っていて、太陽の光を反射しているなら、すべての惑星が満ち欠けするはずだとぼくは思うよ。

そのとおり。そして、金星が満ち欠けするのを発見したのはガリレオだ。現在のわれわれは、他のすべての惑星が満ち欠けすることを知っているが、ガリレオの望遠鏡でそれらを観察するのはそう容易ではなかった。

ローマ法王を説得できなかったガリレオ

さて、ガリレオはこれらすべての観察はとても重要だと思った。自分がまちがいをおかすの

を認める用意のある人々に対してだが、これらの観察は、コペルニクスを真剣に考慮しなければならないことを明白に示したのだ。

しかしながら、ローマにいたカトリックの天文学者たちはガリレオに賛成したけれども、ローマ法王のパウロ五世とベラルミノ枢機卿は反対したままだった。もちろん、ガリレオも、コペルニクスの理論には難点があることを知っていた。

——難点？　どんな難点なの？

それについて話し出すと、まったく別の話になってしまうよ。その話に移る前に、一つのことを確認しておこう。われわれのあいだで意見が一致しない場合、かりにアーロンのまちがいを私が示せたとしても、そのことによって、私が正しかったということはまだ証明されていないということだ。われわれの両方がまちがっていることもありうるよね？

——うん。

ガリレオが提示したすべての証拠は、かれの論敵がまちがっているのは明らかにしたが、コペルニクスが正しいことを示しはしなかった。かりに可能であるとして、コペルニクスが正しいことを示すためには、ガリレオは、自分が答えを望んだあらゆる問いに対して、コペルニクスの理論が、できるかぎり明確に答えていることを示さなければならなかった。

——ぼくが知りたいのはどんな難点だったのかということだよ。

難点はいくつかあるが、ではそれを手短に述べることにしよう。まず、アリストテレスが、地球は宇宙の中心であると言ったことはおぼえているね。かれはまた、世界には二種類の運動があるとも言った。「完全な運動」と「不完全な運動」だ。アリストテレスは、天は完全であり、月、太陽、惑星、そして星々といった天体の運動もまた完全であり、したがって、円運動をしていると信じた。

アリストテレスは、円運動というものは何度も同じ場所を動くので、それは完全だと考えた。もちろん、いまとなっては、惑星が実際には完全な円を描いて運動していないことをわれわれは知っているが。アリストテレスの信奉者たち、とくに**プトレマイオス**（一〇〇？〜一七〇？）という天文学者は、あらゆる種類の複雑な幾何学上の計算をおこない、地球のまわりをめぐるかぎりなく円に近い惑星の軌道を得た。

コペルニクスは、これらの計算はとても複雑で、あまり簡潔で単純ではないと考えた。かれは、神がこのような混乱した世界を創造したとはとうてい考えられないと言った。もし、神が惑星に太陽のまわりを公転させるようにしたならば、惑星が太陽のまわりをめぐる軌道は、複雑な計算などおこなわずとも、確実に完全な円になっているだろう。

しかし、そうではなかった。惑星は完全な円を描いて太陽のまわりを動いているのではない。それらの軌道はほぼ円だが、完全ではない。

——それじゃあコペルニクスはまちがっていたんだ。ガリレオはそれを知っていたの?

いや、かれは知らなかった。ガリレオもまた、惑星が完全な円を描いて運動するのだと、生涯信じていた。惑星を注意深く観察すれば、円を描いて動いているようには見えないことをかれは知っていた。しかしガリレオは、それらの観察に関してくだす結論において、人々はまちがいをおかしていると考え、もしかれらが観察について正しく考えれば、惑星が完全な円を描いて運動していることが明らかになるだろうと考えた。

これがコペルニクス主義の難点の一つなのだが、コペルニクス主義に反対するあらゆる敵対者はこの難点をことさら強調した。

他にも難点があった。もっとも大きな難点はこれだ。もし地球が公転しているなら、われわれが空中に飛び上がったとき、地球はわれわれの足下で動いているのだから、われわれは飛び上がった地点から離れたところに着地するはずだというものである。これは車に乗っているのと似ている。もしわれわれが車から飛び降りるならば、車は前に進むのでわれわれは車より離れたところに着地するだろう、ということである。

さて、鳥は地面を飛び立って高くのぼっていく。もし地球が公転していてわれわれがその上に立っているならば、鳥がとても速く飛び去っていくようにわれわれには見えるはずだ。

——それは正しくないよ。

アーロンの言うとおり、それは正しくない。鳥が高く飛んでいるときに、視界から消え去ることはない。では、どこにこのまちがいがあるのかわかるかな？

——たぶん、大気が地球といっしょに運動して、地球といっしょに鳥も運ぶんだよ。

それはたしかにありうる答えだ。鳥は、空高く飛んでいても、地球と相対的な位置を維持している。なぜなら、鳥は大気の中にその位置を維持しており、大気は地球と相対的にその位置を維持しているからだ。

しかし、月へ向かう宇宙飛行士のように、もし人間が大気圏を越えて飛び出したら、かれらは大気の外に何を見るだろうか？

——ただ広々とした空間だよ。さらに高くのぼれば、最後には別の惑星に行き着くかもしれないけど。

そう、まさに広々とした空虚な空間だ。だが、コペルニクスは空虚な空間について知らなかった。ガリレオはその存在について考え始めていたけれども。とにかく、ひとたび古い理論を改めて、惑星どうしのあいだには空虚な空間があり、大気は惑星といっしょに空虚な空間の中を動いていると考えれば、この難点は一応解決できる。

では、ガリレオが『天文対話』の中で述べている、地球が自転しているという考えと関連する一つの難点を述べることにしよう。高いところから石を落としたら、石が地球に到達するまでに時間がかかるので、石は落とされた真下の地点ではなく、その地点より少し後ろに到達するはずではないかな?

——うん。

ガリレオはそうならないことを示した。かれは「慣性」を発見したのだ。ガリレオは石を落としたら、石は地球といっしょに動くことを理解した。石は落とす以前にも(地球の運動のために)運動しており、落ちているあいだもその運動をつづける。

この問題については他の機会に戻ってくることにしよう。現時点ではおそらく、われわれがこれまで議論してきたことを一般的な観点からおさらいしておくべきだろう。

ガリレオはかれの論敵のまちがいを示す多くのことを論証した。世界は、ほぼコペルニクスが考えたとおりの世界であるように思われた。月は地球に似ており、山さえもある。月(衛星)をもつ惑星もあり、月のように満ち欠けする惑星もある。

コペルニクス理論にもいくつか難点がある。惑星は完全な円を描いては動かない。地球が運動(公転や自転)しているにもかかわらず、落下する物体は後ろのほうに落ちない。ガリレオは、自分の理論に難点がある場合、それを正直に言える人だった。落下する石については、ガリレオは自分自身でその難点を解決した。

しかしガリレオは、惑星が円運動しないことについての難点を十分に理解しなかった。すでに述べたように、ガリレオは、生涯、惑星が実際には円運動していると考えた。

Ⅲ

「まちがい」から発見が生まれる

次は、もう一人の偉大な一六～一七世紀の科学者、**ヨハネス・ケプラー**（一五七一～一六三〇）について話すことになる。かれは、惑星が円運動しないことを発見し、コペルニクス主義を訂正したのだ。

だが、ここでは、次のことを強調しておこう。ガリレオはかれの論敵がいかにまちがっていたかということやコペルニクス主義がいかに正しいかということを示したけれども、かれは難点についても知っていて、しかもその難点を誠実に直視したということだ。科学者は、自分自身の理論の難点について考えれば考えるほど、自分自身のまちがいを発見し、自分の理論を改善するチャンスをいっそう得ることになるのだ。

ガリレオのおかげで、多くの人々は、あの尊敬を集めたギリシャ人、すなわちアリストテレスの理論に疑問を抱くようになった。しかしながら、これらの人々はガリレオや他のコペルニクス主義者たちに厳しい要求を突きつけた。かれらは言った。「われわれが正しいのかまちがっているのかは関係ない。もし、われわれに話を聞いてほしいならば、あなたの正しさをわれわれに証明してみせなければならない」と。

ガリレオは自分の正しさを証明しようとしたが、これがかれの最大の「まちがい」だった。ガリレオは、われわれみんながまちがいをおかすことを知っていたし、しかも、たえずそう述べていたにもかかわらず、かれの論敵から強く要求されたために、いつか真理が発見されて、まちがいのまったくない日がくるのを待ち望み始めてしまった。

今度は、ガリレオとケプラーが解決した難点について話すことにしよう。またかれらがおかしたまちがいについても議論しなければならないだろう。これまで積み残してきた問題についてもだ。たとえば、われわれはガリレオやケプラーがまちがいをおかしたことを知っているのに、いったいなんでかれらを信じるのだろうかという問題について。

ケプラーがこだわった「シンプルな原則」

ここからは、コペルニクス主義の抱えている難点について考えながら、ガリレオがどのようにして実際に人工衛星を思いついたのかを説明しようと思う。すでに述べたように、ガリレオは、惑星が太陽のまわりを完全な円を描いて回っていると考えていた。ところが現在のわれわれは、完全な円ではないことを知っている。ほぼ円に近いとしても、だ。

——それがいったい何だというの？　どんなものもまったく完全というわけではないんだから。

今日のほとんどの人々はアーロンに賛成すると思うし、ガリレオの時代にもほとんどすべての人々が賛成してくれただろう。しかし、ガリレオは断固として賛成しなかっただろうし、かれの友人のケプラーも賛成しなかっただろう。

ガリレオとケプラーは、完全な人間などはいないけれども、「自然の書物」は人間ではなく、神によって書かれたものであり、そして神は完全である、と言ったのだ。それゆえ、自然は完全でなければならず、もしわれわれが理論にどんな小さなものでも誤りを見つけたら、その誤りを正し、事実に完全に適合するように理論の改善に大いに努力すべきである、と。

ここで、ヨハネス・ケプラーについて、もう少し話をしたほうがいいと思う。かれはドイツの数学者かつ天文学者で、ガリレオの友人でもあった。ケプラーはひじょうに宗教的な人で、太陽は宇宙の中心に置かれた、神の象徴であるという観念に興味を抱いていたので、コペルニクスに惹きつけられた。

かつてケプラーはコペルニクスの理論についてこう言った。「私は心の底からコペルニクスの理論が真理であることを証言してきましたが、さらに信じられないほど感きわまる喜びをもって、その理論の美しさを観賞しています」と。

ケプラーはまた、惑星が円軌道を動いているにちがいないと確信していた。当時のケプラーはまだ若く、数学の知識をほとんどもっていなかったが、自然の書物が完全であることと、数学も完全であることを信じていた。ケプラーは数学を大いに学び、おそらく当時で世界最高の数学者となるまでになった。

ケプラーはいくつかの本を書いたが、その本の中でかれはまちがいをおかしていた。最初のうちケプラーは、実際のところ、自分のまちがいが重大問題だとは思っていなかった。したがってかれは、自分を少しばかりごまかしていたのだ。それからケプラーは、さらに注意深く考えた末、もう一冊の本を書いた。その中で、ケプラーは、前の本のまちがいに気づいたので、今回はよりよい理論を提示したいと語っている。

ケプラーは当時入手しうる最良の観測（ケプラーの師であり同僚でもあったティコ・ブラーエによってすでにおこなわれていた観測）を用い、とても正確な計算をおこなった。ケプラーはさらにいっそう正確な円軌道の計算をなしとげ、自分の考えうるあらゆる可能な円軌道に観測をあてはめようと試みた。

かれはとても優秀な数学者だったので、著しく正確な結果、他の人が出した結果よりもはるかに正確な結果を得た。それでも、ケプラーは満足しなかった。

――どうして満足しなかったの？

ケプラーは、どんなに小さなまちがいでも、まちがいとしていつでも認めるべきだと考えていたからだよ。ケプラー以前、一〇分の角度よりも正確に計算した人はだれもいなかった。

アーロンは「一度」という角度がどのくらいか知っているね。円全体を三六〇等分したときに得られる角度だ。一度はとても小さい。一度を六〇等分すると一分になる。一分はあまりにも小さいので、それを見るためには大きな円を分割しなければならない。小さな円ではせいぜい一度しか見えないからだ。

ケプラー以前、一〇分よりも正確に計算した人はいなかったが、ケプラーはもっと正確でありたいと思った。ケプラーは八分まで正確な結果を出したが、まだ満足しなかった。歴史上初めて完全な円を求める人物が登場し、可能なかぎり完全に近づいたが、それでも満足することはなかった。絶対に完全な結果を実際に求めていたからだ。

こうしてガリレオとケプラーは一つのことで一致していた。まちがいはどんなに小さくても、重大問題だと。

ガリレオは、数多くの問題をとても注意深く考えたが、円については、それほど注意深くは考えなかった。しかし、ケプラーは考え抜いた。われわれはガリレオを責めることはできない。かれにはやりとげるべき仕事が十分あったからだ。またケプラーの仕事は、かれのような優れた数学者にとってすら、とても困難だった。

それでもやはり、ガリレオは自分を欺いていた。初めのころ、自分自身をだましていたケプラーは、徐々に変わっていき、ますます正確を期すようになり、円ではうまくいかないと判断するにいたった。こうして、ケプラーは、惑星が円を描いて運動しているのではないと言いきった史上初の人物となった。

——**完全な円ではないということだよね。**

ちがうんだ、私が言いたいことはそうじゃない。完全な円ではないことはだれでも知っていた。しかし「完全な円ではない」ものは、円ではない、と言いきったのがケプラーなのだ。なぜなら、完全な円だけが円であって、完全でなければ円ではないからだ。これがケプラーの偉大な考えだった。

もちろんケプラーは、観察が完全な円に一致しないことを示すために一生懸命仕事をしなければならなかったが、このケプラーの偉大な考えは、とても単純なものだった。完全な円ではないものは、円ではない、と。

(a)

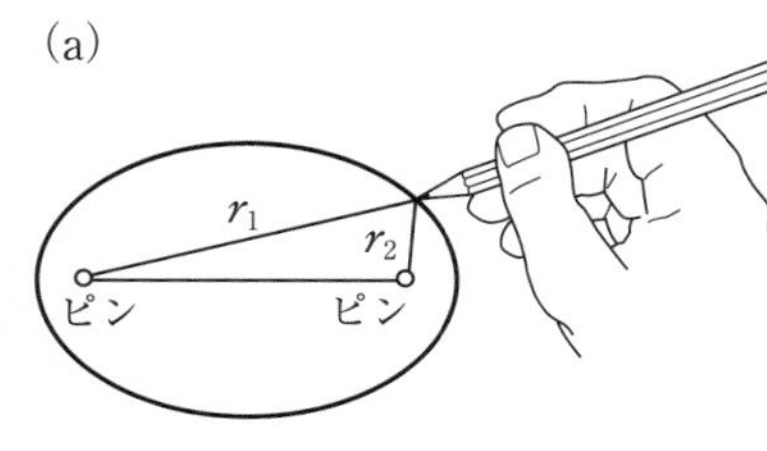

(b)

(a) 楕円上のどの点においても1つの焦点からの距離（r_1）ともう1つの焦点からの距離（r_2）の和は一定である。(b) 2つの焦点が互いに近くなればなるほど、その楕円は円に近づく。

――もし、軌道が円でなければ、ケプラーは何だと考えたの？

ケプラーは、楕円だと考えた。楕円は円をつぶしたようなもので、タマゴのように見える。でもタマゴとまったく同じというわけではない。楕円には二つのちょうど同じ端があるのに対し、タマゴは細い端と太い端がある。

楕円は、二つのピンと糸と鉛筆を使えば描くことができる。ピンで留めた紙の上の二点に糸の両端を結びつけ、次に鉛筆で糸を引っぱりながらその鉛筆を動かすと楕円が描ける。ピンは、楕円の「焦点」とよばれる二つの点に位置している。

この二つのピンないし焦点が互いに近くなればなるほど、楕円が円のようになってくることがわかるだろう。ケプラーによると、惑星の軌道は円にきわめて近い楕円であるという。二つの焦点の距離がひじょうに近い楕円なのだ。

――太陽は楕円の中心にあるの？

そうではない。ケプラーは、太陽は楕円の焦点の一つにあると言った。かれは他にもまた、惑星の速度についても述べたが、これはとても重要なことだった。人々は、惑星は円を描いて動いているので、いつでも同じ速さという安定した速度で動いていると考えていた。ケプラーは、それはまちがっていると言った。もし惑星が楕円を描きながら動いていて、太陽がその焦点にあるとしたら、惑星は時には太陽に近づき、時には遠く離れるだろうと推理した。

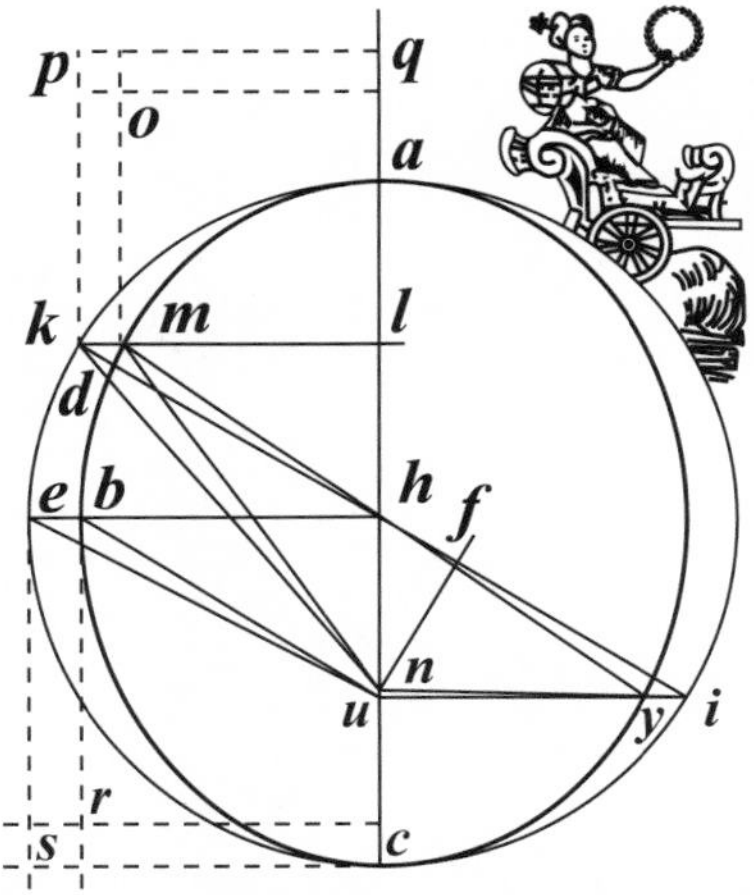

火星が楕円軌道であることのケプラーの証明。もし太陽が楕円（太線）の一焦点*n*に位置し、火星が*m*に位置するならば、径*nm*は一定時間に一定の面積を掃く（1609年に出版されたケプラーの『新天文学』より）。

アーロンは、惑星が太陽に近づいたときと遠ざかったときでは、どっちがより速く動くと思う？

――**惑星が太陽に近づいたときだ。**

では、どうしてアーロンは、惑星がより太陽に近づくと、より速く動くと思う？

――**惑星が太陽に近くなればなるほど、太陽の引力が強くなるからだと思うよ。**

そのとおりだ。でも、事態はもう少し複雑で、もう少し混乱しているのだ。ケプラーは、太陽の重力について知らなかった。ケプラーは重力についてほんの少し書いているが、まちがいをおかしていた。ケプラーは実際、重力にそれほど関心をもっていなかった。

「人工衛星」の発想は
どのように生まれた？

太陽の重力について書いた人は、イギリスの科学者、**アイザック・ニュートン**（一六四二～一七二七）だった。かれが科学革命を完成させたのだ。かれは、ガリレオが死んだ年に生まれた。ちなみにケプラーは、ガリレオが異端審問にかけられる何年か前に死んだ。

コペルニクスは一五四三年に死に、ブルーノは一六〇〇年に死んだ。その後まもなくして、ガリレオとケプラーは偉大な発見をした。後に紹介する**ルネ・デカルト**は一五九六年に生まれ、一六五〇年に死んだ。イギリス王立協会は一六六〇年に創立された。ニュートンが偉大な発見をしたのはその後だが、一七〇〇年よりかなり前のことである。すなわち、コペルニクス後、一〇〇年以上ではあるが、一五〇年はたっていないのだ。

では、太陽の重力に戻ることにしよう。ニュートンは、ケプラーの軌道に関する法則と、ガリレオの慣性の法則に類似した慣性の法則とを結びつけた。そうすることによって、人工衛星を宇宙に打ち上げ、しかもそこに留まるために必要な速度の計算をおこなうことができたのが、ニュートンだった。ただし、ガリレオが慣性の法則について考え始めたとき、すでに人工衛星というアイデアは生まれていた。

だが、ガリレオの慣性の法則に関する考察を始める前に、これまでのことを要約しておこう。ガリレオは、惑星は完全な円を描いて動いていると考えていたが、それはまちがっていた。ケプラーは、惑星の軌道が楕円であること、そして楕円軌道上を動く惑星は、太陽に近づくほど速く、太陽から離れるほど遅く動くことを発見した。他方、ガリレオは慣性の法則を発見したが、これがコペルニクス主義のいくつかの難点をとり除くことに役立った。

――人工衛星について早く話してよ。ぼくはもう待てないよ。

人工衛星について話す前に、アリストテレスの理論に立ち戻ってみよう。というのも、アリストテレスの理論では、人工衛星などというものをわれわれが望むことすら不可能なのだから。天上界の物体はすべて円を描きながら動いており、したがって完全である、とアリストテレスは言った。アーロンもおぼえているだろう。月は、最下層にある天上界の物体だが、最初の完全な物体で、したがって、水晶でできている。

――しかし、それはまちがいだった。

そうだね。これを正したのがガリレオだが、アリストテレスにとっては、月は完全であり、月より下にある事物は不完全なものだった。月より下にある事物は、自分自身の自然の家があるのだ。

――「自然の家」って何のこと？

すべての事物は神によってあたえられた場所をもっている、とアリストテレスは信じていた。それが自然の家だ。アーロンが何かを自然の家からもち去ると、それはもとの場所に帰ろうとする。

――迷子の猫みたいだね。

そうだ。猫が家に帰るには時間がかかるし、また猫はいつでも道を正確におぼえているわけではないけれど……。ともあれ、アリストテレスは、世界には四つの元素、あるいは四種類の物質があると言った。それは、土（あるいは石）、水、空気、そして火だ。アリストテレスは、土の自然の家は世界の中心にあり、その上が水で、その上が空気、さらにその上が火であると信じていた。

――それってまったくまちがいだと思うよ。だって空気の上には、火はないんだ。

そのとおりだ。空気の上に火はない。でも少しのあいだ、この困難を無視することにしよう。この点で、アリストテレスはまちがっていたけれども。

しかし、アリストテレスの理論が石の落ちる理由を説明しているということすら、アーロンは認めようとしないのかい？

――説明しているのかどうかぼくにはわからない。

石は世界の中心にいることを「望んでいる」と言ったね。いま、もしわれわれが石をもち上げたとしたら、石は家から遠くなってしまう。そして、何ものかが家から遠く離れると、それは家へ帰りたがるのだと言った。だから、われわれは、なぜ石が落ちるのかを説明したことになる。

――でもぼくは、石が落ちるのは重力のせいだと思っていたよ。

おお、そうだね。石は重力のせいで落下する。「重力」は「重さ」の別の言い方だ。石は重いから落ちるのだ。アリストテレスは、なぜ石が重いのかを説明したかった。そしてアリストテレスは、石は家へ帰りたがっているから重いのだと言った。なぜ空気は上昇するのだろう。なぜなら空気は上方にある家へ帰るからだ。

さて、アリストテレスは、完全な物体ないしは天上界の物体だけが、円を描いて動くことができると言った。地球上の物体はつねに自分の自然の家へ向かって直線的に（あるいはできるかぎり直線的に）動くとも言った。

ガリレオは、アリストテレスの「自然の家」という理論を信じなかった。ガリレオは、すべての物体が完全な円で動きたがっているのが真実ではないかと考え、こうして人工衛星というアイデアにたどりついた。人工衛星はまさに人間がつくった「月」だが、世界における他のすべての物体と同様、円運動をしたいのだ。ガリレオの慣性の法則では、万物はそのままにしておけば、完全な円で運動するという。

――それなら、どうして重力は生じるの？　なぜすべての物体が完全な円で動き回らないの？

これについてガリレオは、コペルニクスと同じ答えをおこなった。重力が存在するということは、物体が重いので地球に引きつけられるということを意味しない。むしろ、地球のあらゆる部分が互いに引きつけ合っていることを意味する。地球自体が重いというわけではない。だから、地球は太陽のまわりを回ることができるのだ。

ガリレオとコペルニクスは、世界を小さいものと大きいものに分けた。小さいものは、できることならいっしょにまとまりたい。大きいものは完全な円で運動する。そこで、ガリレオによると、人工衛星にどうしても必要なことは、どんな物質であれそれが円運動するのを地球が許すまで十分に地球から遠ざけることである。どんな物質であれ、それが地球のそばに留まっているかぎり、地球の一部であり、地球に再結合しようとする。

ガリレオの理論は、自然の家という理論ではなく、「自然の家族」とでもいうような理論だ。家族全体はいっしょになって円運動することができるが、家族のすべてのメンバーはどこにいても家族のもとに帰ろうとする。

アリストテレスは、重いものが軽いものより速く落ちると主張していたが、ガリレオは、アリストテレスがまちがっていたことを証明した。聞くけど、羽根は岩と同じ速度で落ちるかい？

――落ちないよ。羽根を落とすと、ふわふわと落ちていく。

どうしてふわふわと落ちるのだろう？　羽根には重さがないからかな、それとも、何かが羽根を浮かび上がらせるからかな？　とても重たいのにゆっくりと落ちていく物体について、アーロンは考えることができるだろう。どうしたら、重たいものをゆっくりと落とすことができるだろうか？

――パラシュートをつければいいよ。

そう、羽根は一種のパラシュートだね。羽根をまるめて小さなボールにしたら、それはより速く落ちるだろう。あるいは、羽根を真空の管に入れたら、速く落ちるはずではないかい？

――そうだね。

これは**ロバート・ボイル**（一六二七〜一六九一）が一六六〇年に試みた実験だ。ボイルは羽根と大理石を管に入れて、真空ポンプを使って、管から空気を抜き、そして管を逆さまにした。羽根と大理石はほとんど同時に落下した。完全にいっしょというわけではなかったけれども。ボイルは完全な真空をつくることができなかったからだ。

この実験はガリレオが正しかったことを示した。空気抵抗がなければ、すべての物体は同じ速度で落下するのだ。物体は落下するにつれて、その速度はしだいに増すが、すべての物体が同じように速くなる。言いかえれば、加速度は、すべての物体に対して同じである。これがガリレオの「重力の法則」だ。

――重力の法則は、いまでは、たくさんの人が知っているよ。

そうだね。でも、いまの人たちでさえ、少し混乱している。たとえば、多くの人々は、いまでも、羽根や紙は軽いからゆっくりと落ちるのだとまちがって考えている。

さあ、一枚の紙をボールのように丸めることで簡単な実験ができるよ。容易にわかることだが、紙は、丸めたときにはそんなにゆっくりと落ちるわけではない。丸めた紙は丸めない紙にくらべて重くなったわけではないことにアーロンは賛成するだろう？　だが、人々はこのことを忘れてしまいがちなのだ。

ガリレオはみんなが知っている実験をおこなったが、明晰な思考の助けを借りて、たいていの人が考えていたものとまったく正反対の結果を得た。ガリレオは、棒や石と羽根や紙は、空気の影響をとり除けば、すべて同じ速度で落ちるのだと結論づけると、今度は、物体が落ちるにつれて速度を増す理由を見つけようとした。

これから話すけど、ガリレオはとても単純な考えをもっていた。約束したとおり、この考えからすぐに、人工衛星にたどりつくのだ。アーロンは、水平なテーブルに置いた物体が動かないのを知っているね。物体は落下しない。でも、テーブルを傾けると、物体は落ちてしまう。物体はすべるが、その物体が丸い場合はころがる。

それでは、テーブルをころがるボールについて考えることにしよう。テーブルを傾ければ傾けるほど、つまりより垂直になればなるほど、ボールの速度は増す。そうだよね？

――うん。

テーブルを少し傾けただけなら、速度はとてもゆっくり増していく。つまり、その速度はほとんど同じままだ。テーブルを傾ければ傾けるほど、どんどん加速していく。もしテーブルが水平なら加速せず、速度は同じままだ。したがって、水平なテーブルでは、いったんボールが動き出すと、そのテーブルが十分なめらかであれば、それは永遠にころがりつづけるはずだ。

しかし実際には、ボールが永遠にころがりつづけないのはなぜだろうか？　それは、つねにいくつかの摩擦があって、それを止めるからだ。

では、自分でもう少し考えさえすれば、次のことがすぐにわかるはずだ。地球のまわりに引かれる水平線は円になるから、したがって……

――もし、地球をひとまわりする水平なテーブルが存在するのなら、その上のボールは永遠にころがりつづけるね、まるで人工衛星のように！

まさにそのとおり。ガリレオによると、地球のまわりに完全になめらかな水平のテーブルがあれば、地球のそばに衛星をもつことができる。もちろん、実際にはそんな「テーブル」は存在しない。だからガリレオは、地球の重力の影響外に置かれるぐらいずっと高いところにまで物体をもっていかなければならないだろうと考えた。

もしこれができれば、そしてその物体をひとたび動かしさえすれば、それは自然に円運動を始めるだろう。こうして、人工衛星という〝アイデア〟が生まれた。でも、アーロンにもわかるだろうが、この考えではまだ不十分なのだ。

「思考実験」が科学を発展させた

次に、ガリレオの衛星に関する理論のまちがいについて話をしよう。それは、アーロンが自分で見つけることだってできるまちがいなのだが、それを最初にすべて一人で発見したのは、一六～一七世紀のフランスの科学者、**マラン・メルセンヌ**（一五八八～一六四八）だった。

ガリレオによると、重力加速度はすべての物体に対して地球上でも地球をとり囲む空間中でもどこでも同じであるという。さて、アーロンはおぼえているだろうが、ガリレオは地球がまるで月に似ているのを観察した。それなら月の上や月をとり囲む空間中の重力加速度もまた、あらゆるところで同じでなければならないはずだ。

地球から月へと打ち上げられた石を想像してみよう、とメルセンヌは言った。かれはとても想像力に富んでいたのだ。地球の近くでは、その石はある特定の加速度で地球に戻ってくるだろう。しかし、もしその石が地球の圏内から抜け出して、月に近づいたら、それはすぐに月の重力によって、地球上の加速度とは別の何らかの加速度で月に引き寄せられるだろう。

メルセンヌは次のような問いをたてた。地球と月の境界線はどこなのだろうか？　石がある地点までは一方向に引き寄せられ、そして突然、もう一方の方向に引き寄せられるなどということはありうるのだろうか？　そのようなことはありえない、とメルセンヌは主張した。

ありうることは、石の地球に対する重力は、その石が地球から離れれば離れるほど小さくなり、重力が地球にも月にも向かわなくなるような、ある特定の地点に達するまで、小さくなることだ。その地点から先は、重力は月に向かって増えつづけ、その結果、地球から月に至る重力変化の状況は、連続的で、なめらかなものになるのだ、と。

――石をそんなに遠くに飛ばすには、とても強力な大砲かパチンコが必要だね。

ああ、そうだね。でも、この実験の重要な点は、実際にそれを実行することではなく、その実験が明晰に考える手助けをしてくれることにある。ガリレオによって発明されたこの種の実験は、科学ではとても重要なのだが、それは「思考実験」とよばれている。

――思考の実験？

そう、思考の実験だ。実験だけでは十分でないことをわれわれはすでに見てきた。思考もしなければならないのだ。実際におこなう必要すらない実験がたくさんある。注意深く考えさえすれば、結果がわかるのだ。思考実験によって、たいていは人がどこでまちがったかを示すことができる。

三〇〇年ほど前には、だれも実際に月に石を飛ばすことなどできなかったが、それについて考えることはできた。そして、その考えるという行為だけから、かれらは、ガリレオの理論にはどこかおかしいところがあるとわかったのだ。

地球へ向かう石の重力は、ある地点に達するまでは変化せず、そしてその地点で重力がなくなり、次にその石は突如として月へと引きつけられる――というガリレオの考えはとうてい受け入れられるものではない。人々は物事がもっとゆっくりと変化するのを期待する。そこで、重力に関しても徐々に変化するという考えが発展していくのだ。

今日、われわれはメルセンヌが正しかったことを知っている。地球に近くなればなるほど、重力は大きくなり、地球から遠ざかれば遠ざかるほど、重力は小さくなる。ロケットを飛ばす際、そのロケットの力は重力の力に反して作用するが、その間、ロケットは燃料を使いつづける。ロケットが月の近くにくるまでには、地球の重力は小さくなり、月の重力のほうが地球の重力よりも大きくなる。そしてロケットは月の重力によって月へと落下する。

こうしてわれわれは、ガリレオが言ったことの何が正しくて、何がまちがっていたかを理解した。地球の近くにあるものは等加速度で落下するが、他方、地球から遠いところにあるものは衛星になるのだと。ガリレオにとっては、二種類の事物があることになる。落下するものと衛星になるものだ。

その時代のもっとも偉大な学者で、また歴史上もっとも偉大な科学者の一人でもあるアイザック・ニュートンは、普遍的、あるいは統一的な重力の理論を構築したが、それは、天文学上の現象、衛星および落下する物体の現象をすべて一つの枠組みの中で説明した理論なのだ。ニュートンの理論は、石がどのようにして地球に落下するか、どのようにしたらロケットは人工衛星になることができるのか、月はどのようにして地球の衛星であるのか、また地球はどのようにして太陽の惑星であるのかを説明した。

またかれは、潮の満ち引きについても説明した。アーロンは、満潮と干潮がどういうものか、知っているかな?

――知ってるよ。満潮は海水が陸地の高いところまで上がってくるときだよ。干潮になると、海水が海に帰っていくように見えるんだ。

それでは、毎日、ふつう、何回の潮の満ち引きがあるのか知っているかな?

――うーん、わかんない。

一日に潮の満ち引きは二回ある。では満潮が実際にひじょうに高くなるのがいつだかわかるかな?

――しょっちゅうではないと思うけど。

およそ一ヵ月に一回だ。さて、月が近づくと潮は高くなる。どうしてかな?

——どうしてなの？

海水が月の重力によって引きつけられるからだ。

——わぁ、それは不思議だね。

信じられないだろう。地球と月のように遠く離れている二つの物体のあいだでも重力がはたらくなどと、人々は思ってもみない。石は月の重力に引きつけられないじゃないか、と。

——引きつけられっこないよね。

ところが、石は引きつけられている。ただそれに気がつかないだけだ。だけど、海は月の重力によって引きつけられていて、しかもそれに気づくことができる。なぜなら海は水でできていて、しかもたくさんの水でできているからだ。そこで、その効果に気づくことができる。

漁師たちは、満潮が月に関係していることを昔から知っていたが、潮の満ち引きの原因は、月の重力が地球の海を引っぱることにあると、最初に説明したのがニュートンだった。

——いままでに水が地球から逃げ出して月に飛び移るくらい、月が地球に近づいたことはあるの？

いや、そんなに近づくことはけっしてない。ニュートンとかれの追随者たちは、惑星の動きをきわめて正確に計算することができ、科学の歴史においてそれまでに達成された中で、もっとも正確な結果を得た。かれらは潮の満ち引きを計算し、地球の中心により近いところにある物体と、地球の中心からより遠いところにある物体とのあいだにある重力差を計算し、月がそんなに地球に近づくことはけっしてないことを示した。

ニュートンの理論は人類の歴史全体で、もっとも印象深い理論のうちの一つだった。なぜならそれは宇宙のすべての物質的事物、つまり、遠く離れた星々や、太陽、惑星、棒や石や羽根や空気、その他ありとあらゆる事物に応用できる理論だったからだ。

科学と迷信のあいだ

すでに見てきたように、漁師のような人々は、潮の満ち引きには月が影響をおよぼしているのだと考えていた。ガリレオは同意しなかった。事実、かれはたいていの人が考えている物事について、全般的に反対した。

――どうしてガリレオはそうした考えに反対だったの？

なぜガリレオは科学の中にそのような理論を望まなかったのか、また、科学にとってどのような種類の理論がよくて、どれが悪いとガリレオが考えたのかは、じきに話してあげよう。

科学のあるべき姿についてのわれわれの考えは、ニュートンの影響で大きく変化した。ニュートンは、ガリレオが認めようとはしなかった、海に対する月の影響というような考えを認めたのだ。ガリレオの影響やかれの追随者たちの影響はとても大きかったので、もしニュートンの理論がこれほどまでに成功しなかったとしたら、人々はニュートンを信じなかっただろう。「羽根は軽いからゆっくり落ちる」という誤った考えを人々が抱いていたという話をおぼえているかな?

――うん。実際、とても軽いものについて、人々は「羽根のように軽い」と言うんだ。

そうだね。ほらこれが、通俗的な誤り、ないしは俗説として知られているものだ。他にも、ガリレオが反対した俗説――たとえば、鏡は壁より明るいといったようなこと――についてわれわれは議論した。さらに、月は大きな水晶のようなものだと、ガリレオ以前の人々は考えていたし、おぼえているだろうが、ガリレオだって、月面の海が本当の海だと考えていた。

――それもまちがいだよ。

さて、このことは、とても興味深い問題を提起してくれる。すなわち、どのまちがいが通俗的で、どのまちがいが科学的なのだろうか、という問いだ。ほら、ガリレオだってまちがいをおかしただろう? だが、かれが打破しようとしたまちがいは、考えの足りない人々のおかしたまちがいだった。それらは根拠に乏しく、混乱したものだった。

さらに、もっとひどい俗説もある。最悪の俗説は、迷信とよばれるものだ。月が地球に影響をおよぼすという理論にガリレオが反対した理由は、この理論が古代の占星術にもとづく迷信だったからだ。

——占星術（astrology）？ 天文学（astronomy）のこと？

人々への星々の影響について語る天文学の一種のことだ。

——人々への星々の影響？ それってどういうことなの？

たとえば、占星術師たちは、火星が地球から見えるときに生まれたら、その人は兵士になるだろう、と言う。なぜなら、火星は赤く、しかも火星という名前は戦争の神にちなんで名づけられたからだと。ガリレオ以前には、天文学者たちでさえもそれを信じていた。

占星術は、現在のわれわれにとっては、馬鹿げていて迷信だと思われている。それでも、人々はそれを信じているし、何千年ものあいだ、人々は占星術を改善するために天文学を研究したのだ。人々は、誕生の瞬間から自分たちの運命を予言できるようになりたかった。いつ結婚すべきかなどということを判断するために。

ところが、占星術には一つ正しいことがある。それは、月が満潮の原因である、ということだ。ガリレオはこの考えに反対した。なぜなら、かれは占星術に反対だったからだ。

しかし、ここに面白い点がある。それは、一連の迷信の中にも、真なる考えがあるかもしれないということだ。正しいかもしれない迷信の例をもう一つ挙げることにしよう。たとえば、迷信を信じる人々は、病人を治療するためのいろいろな種類の家庭療法をもっている。それらのいくつかは実際に効き目があるのだ！

——だけど、もし迷信を信じる人が、腹痛に効くと思われる何かを飲んだとして、そのとき、その人は頭痛だったとしたら？　それは効きっこないでしょう。

そのとおり。多くの迷信深い人々は、ある病気に効く薬なら別の病気にも効くと思っている。そんなとき、どうしたらいいかな？

——かれらは薬が何に効くのかを見つけるべきだよ。

では、どのようにして人々はそれを見つけるのだろうか？　どのようにして人々は、どの病気にどの薬が効くのかを見つけるのだろう？　またどのようにして人々は、月が潮の満ち引きの原因なのかどうかを見つけるのだろうか？　これが問題だ。

——うーん、ぼくにはわからないよ。

ふむ、この種の問いはとても興味深く、大切だと思う。ガリレオは偉大な科学者だった。なぜなら、かれは科学的な理論の性質に関心をもったからだ。

ガリレオは潮の満ち引きについてはまちがっていた。しかし、もっと重要なことはかれが科学について述べたことだ。本当の科学は数学的でなければならないと、かれは主張した。少なくとも、ガリレオとその時代の他の人々は、科学とは何なのか、何によってある考えが科学的になったり、別の考えが迷信になったりするのかを見きわめたかった。

木星の衛星の発見とか月面の山の発見とか、ガリレオが望遠鏡で発見したことについて私が話をしたとき、アーロンは私に向かって「どうしてガリレオはかれらに望遠鏡を見せて、自分が正しくてかれらがまちがっていることをかれらに納得させなかったの?」と尋ねたね? おぼえているかい?

——うん。

しかし、望遠鏡を通して見れば納得できるとは、ガリレオの敵対者たちが考えていなかったのをアーロンは忘れていた。望遠鏡を通して見ることは、望遠鏡を信じている科学的な人々を納得させるだけだ。

さて、ここにとても面白い問いがある。どのようにしたら望遠鏡を見ることで何らかの事物についてわれわれを納得させることができるのだろうか? 結局のところ、望遠鏡は嘘をついているかもしれない。望遠鏡はわれわれに事物をまちがって見せる悪魔の道具なのかもしれない。

ガリレオの敵対者たちは、木星の衛星を見るときはいつでもまちがって見ているのだと考えた。なぜなら教会は一つのことを教えているのに、ガリレオは別のことを語るからだ。かれらはガリレオがまちがっていると確信していた。ガリレオが望遠鏡で明らかにしようとしたとき、かれらは望遠鏡を一種の蜃気楼か、悪魔の一種ではないかと疑った。

——それは単なる「媒介」の一種なのにね。

しかし、そのような人々は、望遠鏡の正体を知りたがった。なぜなら、もしそれがわからなかったら、ガリレオが悪魔の代弁をしているのか、神の代弁をしているのかわからないからだ。「われわれは科学者を信じるべきか」という問いをたてたのをアーロンはおぼえているね？

——うん。

そしてアーロンは、科学者を信じるべきだと言った。なぜなら、かれらは望遠鏡のような道具をもっているからだ、と。しかし、もし望遠鏡が悪魔の代弁者か、神の代弁者かのいずれでもありうるとしたら、いつそれを信じるべきなのか、それともいつ信じるべきではないのかということをどうやって知ればいいのだろう？

——うーん、だれにもわかりっこないよ……。

だれにもわからないなら、どうすればいいだろう？　絶対に確実なものが何もないとき、どうしたら科学を築けるのだろうか？　どのようにわれわれは学べばいいのだろうね？

——それはぼくには難しいよ。わからないよ。

これはだれにとってもひじょうに難しいことだ。ガリレオは、望遠鏡を信じる必要はまったくないと言った。なぜならアーロンも私も述べてきたように、望遠鏡は時には人を誤りに導くかもしれないからだ。

しかし、とガリレオは言った。われわれは、自分自身がよく物事を考えるのに役立てるために望遠鏡を使うのだ、と。だから、もしわれわれが自分の正しさを確信したかったら、自分たちが言っていることを注意深く吟味しなければならない。

もっともありふれたまちがいは、われわれが道具を通して見ることによって見誤ることにあるのではなく、われわれが混乱することにあるのだ、とガリレオは言った。まちがって見てしまうからではなく、注意深く考えないからだと。だからガリレオは、もっとも大切なのは観察ではなく、「思考」だと考えたのだ。

ガリレオと同時代に**フランシス・ベーコン**（一五六一～一六二六）という名の人物がいた。かれはイギリスの大法官だったが、ガリレオとはまったく正反対のことを考えていた。かれは、思考が混乱するのは人々が事実を十分に知らないときだ、と信じた。人々が迷信や先入観を抱いてしまう理由は、かれらがあまりにも少ない事実から出発して、見解をつくり上げ、しかもまちがいから学ぼうとはしないことにあるというのだ。

ベーコンは、次のようなやり方のほうがずっと安全だと主張した。それは、考えることをまったくせずに、われわれのもっているあらゆる古い見解をとり除き、望遠鏡や顕微鏡などの道具を用いて、より多くの事実を探すことから始めるやり方だ。十分な事実を得れば、われわれは正しくなるだろう。

——ベーコンがガリレオの信奉者でないのはたしかだ。

たしかにそうだ。ガリレオとかれの追随者たちは、迷信にまつわる最大の困難が、迷信深い人々の話によってわれわれが混乱してしまうことにあると信じていた。

われわれは、いかにしてあることが別のことを引き起こすのかについて明確な考えをもっているわけではない。たとえば、のろいの言葉やはしごの下の歩行がいかにして不幸をもたらすのか、あるいは、何とかの星の下に生まれることによって、どんな幸運や不運がもたらされるのかということについて、明確な考えをもっているわけではない。これらすべてのことは混乱している。それらが真だとか偽だとかいう前に、むしろ、それらがどのようにはたらいているのかすら理解できないのだ。だから、評価のしようがない。

したがって、ガリレオは、そのようなことは忘れて、われわれが実際に理解している簡単な原因だけから始めようと主張したのだ。

フランシス・ベーコンもまた、迷信は混乱していて、危険だと主張した。そして、人々の心を開かせて、経験から学ぶように仕向けることを迷信は困難にするとも言った。したがって、まずなすべきことは、あらゆる迷信を忘れ去ることである。次に、人々はできるかぎり多くの事実、観察と理解が十分にできる「単純で明晰な事実」を集めるべきである、と言った。この二つのことから、「真なる理論」を発展させることができる。

こうして、ベーコンは自分の目を信じるべきだと主張し、ガリレオは自分の考えを信じるべきだと主張した。両者とも、伝統を受けいれるべきではなく、自分自身で考えるべきだと言った。

――望遠鏡が時には正しかったり、時にはまちがったりすると言ってなかった?

そう言ったよ、と私は答えた。

――じゃあどうやって知ればいいの?

ベーコンなら、よく見れば見るほど、われわれの目はますますよくなると言うだろう。われわれはただ注意深く、じっと見さえすればよいのだ。ガリレオにとって、視覚はあまり重要ではなかった。われわれはよりよく考えるために見るのであって、もっとも大切なことは見ることではなく、考えることだ。

さて、興味深いことに、ガリレオとベーコンの双方にとって、迷信は混乱を意味し、科学は正しさを意味していた。迷信は時には正しいこともありうるが、ふつうはまちがっており、他方、科学はつねに正しいと、二人は信じていた。これが二人のまちがっていた点だ。かれらは、科学者はまちがいをおかさないと考えていたが、それが大きなまちがいだった。
今日でも、われわれはまだ、科学とは何なのか、迷信とは何であるのかを本当にはわかっていない。しかし、迷信と科学のあいだのちがいは、一方が正しく、もう一方がまちがっているということにあるのではない。

――そんなこと、ぼくにはけっして思いもよらなかったよ。

そうだろう。もう一つだけ教えよう。われわれは次の点でガリレオとベーコンに同意する。迷信を信じる人々は混乱していること、混乱しているためにかれらは経験から学ぶのが容易にできないこと、それに対し、科学者はふつう、経験から学ぶ姿勢をもっていることだ。
しかし、いまの科学がまったく正しいかと言われたら、けっして同意ばかりはしていられない。別の言い方をすれば、いまの科学と迷信とのあいだの境界線は、ますます*あいまい*になってきているとすら考えられる。せめてもの救いがあるとすれば、いまの科学が初めのころよりもまちがいが少なく、混乱も少ないこと、また科学はそもそも初めから迷信よりも混乱してはいなかったということだね。

第2章

世界は何からできている?

科学者たちが追い求めてきたこと

I

物理学の「もっとも重要な問い」

まずは、これまで話し合ってきたことについて、簡単にまとめておくことにしよう。

われわれは中世について論じ、当時の人々が何を信じていたのかについて論じてきた。かれらは最古の文明、すなわちヘブライ人やギリシャ人の文明が最高のものだと信じていたのだ。コペルニクスもまたギリシャ人の考えにまでさかのぼり、アリスタルコスを発見した。しかしかれは、自分ではただギリシャ人に戻ろうとしているだけだと思っていたけれども、実際には、新しい考えを生み出した。

コペルニクスの死後まもなく、ガリレオとケプラーは、ギリシャ人のようになりたければ、考える人、科学者にならなければならないことを示した。ギリシャ人に戻るというまさにその考えによってギリシャ科学が発見され、ついに科学革命が生じた。

われわれはコペルニクスやケプラーについて語る以上にガリレオについて多く話し合ってき

た。なぜならガリレオこそが、科学的に考えることの重要性をまずもって強調し、コペルニクスの科学革命をもっともよく理解した人物だったからだ。

しかし、そのガリレオでさえ完全に科学的な思想家ではなかった。かれは多くのまちがいをおかしたばかりか、いろいろな事柄について混乱もしていた。そのためにかれの追随者であるルネ・デカルトのほうがガリレオよりはるかに重要だと見なされるようになっていった。

さて、デカルトの理論を理解し、近代科学がどのようにして発展してきたのかを理解するためには、実際のところ、われわれはギリシャ科学に戻らなければならない。

——近代科学が古いギリシャ科学にすぎないっていうの？

いや、そうではない。近代科学は多くの点で古いギリシャ科学とはひじょうに異なっている。しかし、同じ思考の延長上にあるものも多く残しているのだ。

最初のギリシャ人科学者は**タレス**（紀元前六二四？〜紀元前五四六？）だった。かれは二六〇〇年ほど前の古代ギリシャに住んでいたが、当時のギリシャはかなり未開の地だった。二六〇〇年前は世界中が未開の地であったが、文明のもっとも発達していたのは、バビロニアやエジプトといった土地の人たちだった。タレスは知識を求めてあちこち旅してまわり、バビロニア人やエジプト人から多くを学んだ。

バビロニア人とエジプト人はとても迷信深い人たちで、かれらの政治体制、とりわけエジプトの体制は、冷酷で民主的ではなかった。残忍な奴隷制や伝統のひじょうに厳格な遵守のうえに成り立っていたのだ。

エジプトの科学は発達できなかったが、その理由はエジプト人たちには新しい考えを創り出すことがほとんど許されていなかったからだ。かれらは算術を表記したりおこなったりするための新しいやり方を発明することさえも許されなかった。エジプトの体制全体が「化石化」していたのだ。他の古代人とくらべれば、かれらはかなりたくさんの知識をもっていたが、それ以上学んでいくことはできなかった。

バビロニア人たちは優れた占星術師だった。多くの古代人と同様に、かれらも、星々が人間の生活に影響をあたえていると信じていたが、他の古代人とはちがって、かれらは、星を見て観察した。かれらは、それぞれの星が正確にどこにあるのかを知りたがった。そうすれば、星々がどのように人々の生活に影響をあたえているかについてもっとくわしく知ることができるだろうと考えたのだ。

バビロニア人は、天文学上、最初の偉大な発見をした。それは「明けの明星」と「宵の明星」に関するものだ。明けの明星は日の出前にときどき現れる明るい星で、宵の明星はちょうど日没後にときどき現れる星だ。明けの明星はいつも東に現れ、宵の明星はいつも西に現れる。われわれにはどっちの星もごくわずかな時間しか見ることができない。明けの明星を見てから、少したつと太陽がのぼってきて……

——さようなら明けの明星、だね。

そうだ。すべての星と同じように明けの明星は消えてしまう。宵の明星は夕方の始まりとともに現れ、まもなく西の地平線の下へしずんで消えてしまう。奇妙な話だが、われわれはそれら二つの星をいつでも見ることができるとはかぎらない。これは本当におかしなことだ。なぜならほとんどの星はきまって見ることができるからだ。

バビロニア人たちはこの二つの星をひどく重要なものだと信じていた。人々が「この二つの星の下で」生まれたかどうかにはかかわらず、これらの星は幸運と不運を支配するものと考えられていた。

バビロニア人たちは、明けの明星と宵の明星が、他の星々の中でどこに位置しているかを注意深く書き留め、それらを軌道で表した。「軌道」という言葉は、輪、跡、もしくは道を意味する。星の撮影の際に、星が動く余裕をあたえつつ、ゆっくりと星の写真を撮るならば、明るい点ではなくて明るい線が得られるだろう。

星の明るい道は、世界一周旅行にでも出かけないかぎり、けっして一つの輪として見ることはない。だが、想像や計算によって、その線を延ばして輪にすることはできる。ほとんどすべての星の軌道は似ている。つまり、どの星も他の星々と相対的に固定した位置に現れ、星の体系全体が一日に一回、回転するのだ。

古代の人々は最初、天空をテントかカーペットのようなものと考え、星々を宝石のようなものだと考えていた。しかし、月は「カーペット」に固定されていない。だからわれわれは「カーペット」の上に月の軌道を描くことができる。それがわれわれには、恒星とほとんど同じように、まるで月がおよそ一日に一回、天空を旅しているかのように見えるのだ。

だけど、すべての星が固定されている天空図では、月はめぐりめぐって毎月、再びもとの場所に戻ってくる。

——だから一ヵ月というんだね。

そのとおり。「一ヵ月（month）」と「月（moon）」は関連のある言葉だ。太陽も動いていて、一年に一度、もとの場所に戻ってくる。明けの明星も同じように動くし、宵の明星もそうだ。

バビロニア人は、この二つの星の軌道を表したとき、この二つが同じ軌道を描いていることに気がついた。明けの明星と宵の明星は同じ星（金星）だったのだ！　こうして、天文学におけるもっとも偉大な発見の一つは、三〇〇〇年も前になされた。望遠鏡もないのに、だ。

——その星の名前は何て言うの？

ギリシャ人はそれに対して三つの名前をもっていた。一つ目が、ポースポロスで、これは

「明けの明星」という意味だ。二つ目がヘスペロスで、「宵の明星」を意味する。三つ目がヴェヌスで、これは「美の女神」にちなんでいる。バビロニア人はこの星をイシュタルとよんでいたが、その名前はかれらの美の女神の名前だ。

バビロニア人について、もう一つ。かれらはときどき日食を予測することができた。かれらは日食というものにとても関心があったのだ。というのも日食は不運をもたらすと信じていたからだ。

私たちは何でできている？

——タレスはどうなったの？

その話に戻ろうか。すでに述べたように、タレスは学問を求めてたくさん旅をして回った。

——ギリシャ人からは何も学べなかったの？

あまり学べなかった。当時のギリシャ人はほとんど何も知らなかったからだ。タレスが日食の予測のしかたを人々に教えると、かれらはたいへんな賢者だとしてタレスを迎えいれた。

タレスは「科学の父」だと見なされているが、その理由は、科学、とくに物理学において、もっとも重要な問いをかれが発したからだ。そのもっとも重要な問いとは、「事物は何でできているのか」というものだ。この問いは、タレスの時代から今日に至るまで、科学者の関心を引きつける基本的な問いである。アーロンは、その答えを知っているかな？

——**それは事物によって異なるよ。石の家は石でできていて、木の家は木材でできている。木の塀も木材でできているよ。**

そうだね。

——**そしてドアノブは何かの金属でつくられている。**

それでは、金属は何でできているのだろうか？　木材はどうかな？　アーロンはそれを知っているかい？　ほらね、タレスはずっと深いところを探っていたのだ。かれは金属のドアノブが金属でできていることを知っていたけれども、その金属が何でできているかを知りたかったのだ。

——**原子だよ！**

どんな原子だい？　どの種類の原子なのかな？

——**それはわからないよ。**

では、原子は何でできているの？

——原子的な素材だよ。

それでは原子的な素材は何でできているのかな、と私は尋ねた。

——そんなの、やりすぎだよお。

私はどんどん深いところまでいこうとしている。できるだけ深いところまでいくつもりだ。こうやってタレスは科学を始めたのだ。重要な問いは、「すべてのものは同じ素材でできているのか？」だ。アーロンは木の塀と木は同じ素材でできていることに賛成するだろう。

——うん。両方とも木の繊維でできているよ。

ドアノブも木の繊維でできていると言うだろうか？

——ううん。

どうしてそれがわかる？

——だって木の繊維は木の中にあって、金属の中にはないからだよ。

金属は熱するとどうなる？

——溶けるよ。

そうだね。だから金属はメタルとよばれるのだ。金属（メタル）は溶ける（メルト）物質だ、そうだね？

——うん。でも石鹸は水の中で溶けるけど、それならどうして石鹸を「金属」とよばないの？

おそらく金属とよぶことのできる物質は、熱したら溶けてしまうとき以外は硬い物質のことだろう。われわれはまた、金属を剣のようにいろいろな形にすることができる。石鹸を剣にすることができるかい？

――できるわけないよ。

ほら、ある金属でできているドアノブは、別の種類の金属でできているドアノブにとてもよく似ているけれども、石鹸は金属のドアノブとひじょうに異なっている。

すでにわれわれはとても込み入った状況にある。われわれは二つの点で、ある金属が別の金属に似ていることを知っている。それは硬いことと溶けることだ。しかし、金属は他の点では石鹸にも似ている。なぜなら、銀はあまり硬くないし、鉄はさびることによって水の中で「溶けて」しまうからだ。

それでもわれわれは、すべての金属どうしは似ているとか、木材についても、それがどんな木材であろうと、すべて似ていると言うことができる。でもそれが真であることを知っているのだろうか？　ロウソクは木に似ているの？　それとも金属に似ているの？

――ロウソクの芯に火をつけたら、ロウソクは溶けるよ。

だから、ロウソクは木よりも金属のほうに似ているというのだね？

――うん、ロウソクは溶けるもの。

そう、だけどタレスはこのことをまったく知らなかったので、沈殿物は水から出てきたと考えた。かれは、河口で石灰を観察した。石灰はしばしば川を通って海にもたらされるからね。このようにしてタレスは、水は、石灰にも、蒸気にも、氷にもなると結論づけた。つまり、たとえ水とはまったくちがって見えたとしても、すべての事物は水からできているというのだ。一度も氷を見たことのなかった人が、氷のかけらを見て、それが水だと信じることができると思うかい？

――もちろん、できるはずないよ。

ではかれを納得させるためには、水を凍らせて氷にしなければならないだろう。

――あるいは氷を鍋に入れて、水になるまで温めることもできるよ。

では、金属を溶かして水にしたり、水を凍らせて金属にしたりする方法があると仮定してみよう。もしこれを私が見せたら、アーロンは、金属は水だと信じるのではないかな？　きっと信じるはずだ。

――えっと、信じるかもしれないし、信じないかもしれないよ。

氷の場合と同じように、アーロンは信じると思うよ。私に金属を溶かして水にすることができるなどとは信じていないことを除けばね。その点、アーロンは正しい。私にはできないからだ。金属を溶かして溶けた物質にすることはできるけれども、水にすることはできない。

タレスは、すべてのものが水でできているとするならば、水は金属からできるし、金属も水からできると考えた。もし科学的な実験が十分になされれば、これをおこなう方法を発見できるだろうと考えたのだ。

すべての事物はひとつ？

もっとも強力な顕微鏡でさえ原子を見ることはできないと、以前、われわれが話したのをおぼえているかな？

——**たぶん、さらに強力な顕微鏡をつくらなければならないんだ。**

いや、そうともかぎらない。目に見える世界が全てではない。だが、古代ギリシャ人でさえ原子について考えた。どのようにしてかれらが原子について考えるようになったのかを説明しよう。

タレスは、万物は水からできていると主張したが、他のギリシャ人たちは、万物は水以外の何ものかだと考えた。何が同じで、何が同じではないと言うことが困難だったのをおぼえているかな？　そして、ようやく、基体という考えにたどりついたことを。氷は水と異なっているにもかかわらず、われわれは、氷は水と同じだと言ったのだ。

――氷は硬いけれど、水は軟らかいのにね。

そのとおり。そしてわれわれはこうも言った。二つの異なる事物は、ある点では異なるが、別の点では同じかもしれないし、また、一つの事物は、ほんの少し変化しただけでは同じ事物のままかもしれないが、大きく変化するとちがう事物になるかもしれない、と。

タレスは、すべての事物は同じものであり、すべての事物は水である、と言った。しかし、疑問が残る。もしもすべての事物が同じものだとしたら、なぜそれぞれの事物は他のどんな事物ともちがって見えるのだろうか？

さて、もう一人の偉大なギリシャ人思想家、**パルメニデス**（紀元前五二〇？〜紀元前四五〇？）という人物がいた。かれはほとんど信じがたい考えをもっていた。かれは言った。すべての事物は同じものなのだから、ただ一つの事物しかないのだ、と。想像できるかい？　アーロンと私が同じものだとか、アーロンとアーロンが座っている椅子が同じものだなどということを。だれもそのようなことを信じようとはしないだろう。

――すべてのものが水でできているという理論だって、だれも信じられないよ。

そうだね。しかし科学者たちは、すべてのものが同じ素材、同じ基体でできていると信じているのではないかな？

――いまではだれもそんなことを信じちゃいないよ。

おや、そうかな。私にはたしかにそうだとは言いきれない。ほら、今日、多くの科学者は、すべてのものが電子や陽子などからできていると信じている。今日でさえ、多くの科学者がまだタレスの基体説を信じているのだ。その基体が水だと信じる者はだれもいないがね。なぜなら、われわれは水が二つの水素原子と一つの酸素原子でできているのを知っているからだ。ところが、興味深いことに、タレスの基体説は可能ではなかった。この事実はパルメニデスによって発見された。かれはあらゆる時代を通じてもっとも思慮深く、もっとも賢明な思想家の一人だった。

パルメニデスは言った。この世界にはたった一つの事物しかなく、それが世界そのものであると。つまり、すべての事物は世界そのものと同じなのだと。人々はかれを笑いものにしたが、パルメニデスはとても賢く、自分の正しさを証明することができたのだ！

――かれはどうしたの？

アーロンにもわかるだろうが、その証明はじつに巧妙なのだ。それはこうだ。タレスはすべての事物がたった一つの素材でできていると言った。その素材が水だということは忘れよう。それが水かどうかは重要ではないからね。重要なことは、一つの素材が存在するということだ。そして、一つの素材が存在することにもしわれわれが賛成するならば、二つの素材は存在しえないことになる。さらに、もし二つの事物が同じ素材でできているとしたら、その二つの事物は同じものだということになる。これが証明のすべてだ。

――もし羽根が水でできているとしたら、他のすべての事物も水でできていることになる。すると、羽根のような事物など、まるでほとんど存在しないかのようになってしまう。

まさにそのとおりだ。アーロンは、パルメニデスをとてもよく理解したようだね。そこでパルメニデスは言ったのだ。人が羽根を見るとき、実際には見ているのではなく、夢を見ているのだと。

――ひゃあ、たまげた。

世界中、西洋にも東洋にも、ヨーロッパにも、インドや中国にも、このようなことを信じる人々、しかも賢い人々がたくさんいる。われわれはかれらのことを神秘主義者とよぶ。神秘主義者というのは、世界は一つであって、われわれの見ているものは夢だと信じる人々だ。

パルメニデスは、自分の神秘主義的理論を、タレスやその他の哲学者たちの考えを用いて証明することができた。パルメニデスのもう一つの考えを話すことによって、これらのギリシャ人の神秘主義者たちが、他の多くの神秘主義者とはちがって、いかに賢くかつ科学的であったかを示したいと思う。

――科学的神秘主義者。そんな言葉、聞いたことないよ。神秘主義者だって聞いたことがなかったもの。すべての事物は水でできているという理論も。それらはみんな、とても奇妙だね。

それらはすべてとても奇妙だ。ギリシャ科学から学ぶもっとも重要な教訓は、科学というものはとても奇妙なものでありうるということだ。

――いままでそんなこと思ってもみなかった。

もちろんそうは思わなかっただろう。ガリレオを話題にしていたときにはとくにそうだ。ガリレオは、科学ははっきりしたものだと言っていたのだから。さあ、パルメニデスのもう一つの証明を見ることにしよう。アーロンは、物体が動きまわること、そして運動は変化だということを知っているね？

――うん。

そこでパルメニデスは、すべての事物は同じものなのだから、変化は不可能だ、と言った。

――そうなの。でもきっと、かれはそんなことを言うつもりじゃなかったと思うよ。まさか、動いているように見えるすべてのものが本当は動いていないだなんて言おうとしたんじゃないでしょう？

いや、それこそまさにかれが言いたかったことなんだ！

――これまた、とても奇妙だね。

そう、奇妙だ。では、何かが動いて見えるとき、それは本当には動いていないのだという、かれの証明を教えてあげよう。とても難しいから、注意して聞きなさい。

まず初めに、次のことに同意しなければならない。天井まで家具でいっぱいの部屋があるならば、どれか一つの家具をとり出さないかぎり、他の家具を入れることは不可能だということだ。

——そんなことならだれだって同意できるよ。

部屋に何かを入れたいとすれば、そこには空っぽの空間がなければならないし、あるいは、もし部屋がいっぱいのときには、どれかを外に出さなければならない。どれかを外に出すためには、部屋の外のどこかに空っぽの空間がなければならない。言いかえれば、運動が生じるには「空虚な空間」がなければならないことになる。

空間が完全に満たされていれば、何も運動することができない。ホールが完全に人ごみで埋まっているようなものだ。そんなとき、ドアが閉まっていれば、全員がいっしょにくっつき合って、だれも動くことなどできない。ドアの後ろの部屋もまた人でいっぱいなら、ドアを通ってそこを離れることすらだれにもできない。運動が可能であるためにはどこかに空所がなければならない、とパルメニデスは主張した。

問題は、空虚な空間はありうるのかということだ。パルメニデスは、ありえないと答えた。

なぜなら空虚な空間というものは無いものだからだと。もし空虚な空間が無いものではないとすると、それは何ものかであって、空虚ではないことになるだろう。だから空虚は無いものであり、無いものは存在しない。したがって、空虚な空間は存在しないし、運動は不可能だ。そこで人が運動を見るときはいつでも、夢を見ているのだ。これで証明終わり。どうだい？

——証明があってもぼくはそれを信じないよ。

だけど、その証明のまちがいを示すことができるかい？

——たぶん。

そうかな。できないと思うよ。この証明にまちがいを見つけるにはとても賢い人々を必要とする。おそらくある意味で、この証明にまちがいはないだろう。パルメニデスが実際に証明したことは、宇宙がただ一つの基体ないし実体でできているとしたら、何の相違もあり得ず、すべてのものは一つであるということだ。

デモクリトスの原子論

パルメニデスの後に**デモクリトス**（紀元前四六〇？〜紀元前三七〇？）がやってくる。かれが原子論の創始者だ。デモクリトスは言った。パルメニデスのまちがいは、空虚な空間を無いものと見なしたことにあると。空虚な空間は何ものかであり、パルメニデスが描いた「不変化の宇宙」というのは、宇宙全体のことではなく、小さな宇宙、すなわち分割不可能な「原子」のことであると、デモクリトスは主張した。

分割不可能な原子が空間に浮かんでいる。原子が動くためには空虚な空間がなければならない。より小さな原子とか、より大きな原子、四角い原子、大理石のような原子、ピラミッド形の原子など、あらゆる種類の異なった形の原子が存在しうる。これらの原子がさまざまに配列されるとき、さまざまな事物が結果として生ずるのだ。

——原子にいろいろな形があるなんて知らなかったよ。原子はみんな丸いんだと思っていた。

現代の科学者たちは、原子には形がないと言う！　ほらね、何度も言うように、科学はとても奇妙だ。一五〇年前には、多くの科学者は、アーロンが言うように、原子には形があり、それは丸いと信じていた。

しかし、デモクリトスは二四〇〇年前に生きていたのだ。そして言った。原子は丸いかもしれないし、四角いかもしれないと。たとえば、火の原子は針のような形をしていると、かれは信じていた。なぜだかわかるかい？

――わからない。

手がかりをあげよう。火の中に指を入れたらどうなる？

――やけどする。

やけどすると、どんな感じがする？

――すごく痛い感じ。

すごく痛いと感じるのは、針のような火の原子が何千本も皮膚を刺して、傷つけるからだとデモクリトスは言った。デモクリトスは、なめらかな事物は丸くてすてきな原子でできていると信じた。このようにしてかれは、われわれの世界に存在する事物の多様性と、運動という現象を説明した。

宇宙には、一つの基体が存在するのではなく、二つ存在する。原子と空虚な空間だ。デモクリトスにとって、空虚な空間は実在するものだった。というのも、もし空虚な空間がないとしたら、運動が不可能になるからだ。空虚な空間は時には「虚空」という名でも知られている。そこで、デモクリトスの理論は「原子と虚空」の理論だということになる。

――原子と虚空。

さて、デモクリトスの変化に関する議論はとても重要だ。すべての変化は運動であるとかれは言った。たとえば、黄色いバナナが黒いバナナに変わるのはどうしてだと思うかい？

――腐るからだ。

何が腐るの？

――わからない。

もしバナナが腐るのなら、その原子が腐るのかもしれない。原子は腐ることができるかい？

――原子が腐るというのは一度も聞いたことがないよ。

たしかにそうだ。原子は変化しえないとデモクリトスは信じていたのだから、原子が腐ることはありえない。それでも、バナナはどのようにして腐るのだろうか？

――わからないよ。

デモクリトスは、原子が出たり入ったりすると考えた。原子は場所を変えるのだ。言いかえると、すべての変化は何らかの運動によるのだということになる。なぜなら原子自身は変化できないからだ。基体が変化しえないことをおぼえているかな？

——うん。

では、もし基体が一つの同じものだったら、どこにも変化はありえないということもおぼえているかい？

——うん、おぼえているけど信じられないよ。

そうだね。だけど問題は、どのようにしたら変化が生じるのを認めることができるのかということだ。われわれは、変化が生じるのを知っているが、どうやってそれを説明するかだ。原子は変化しないが、空虚な空間の中に存在し、しかも運動するのだと考えるならば、すべての変化は、何かが動くことによって生じることになる。原子自身は変化しない。それぞれの原子は、タレスやパルメニデスの基体とちょうど同じように、つねに同じまま。デモクリトスは、すべての変化が場所の変化ないし運動であると言うならば、変化は可能だと説明した。

——どうやって原子は運動するの？

それはとても難しい問題だ。デモクリトスは、原子はあらゆる方向にでたらめに動くと言った。たとえば、デモクリトスは、原子の「雨」に訴えることによって重力を説明しようとした。かれは、物体が落ちるのはとてももとても小さな原子の雨がたえず降っているからだと言った。われわれには原子の雨を見ることも感じることもできないが、それがすべてのものを下に押しているのだ、と。

ピタゴラスは「原子」をどう説明したか

ある種の原子は、デモクリトス以前にも、考案されていた。**ピタゴラス**（紀元前五八二？～紀元前四九六）という神秘主義的なギリシャ人思想家によってだ。ピタゴラスの「原子」は数であった。タレスと同様、ピタゴラスも広く旅をして、エジプト人から多くの素晴らしいことを学んだ。それには一つのとても面白い幾何学の秘訣が含まれている。エジプト人は、完全な直角をつくりたい場合には、一二の等間隔で区分されたロープを用いた。かれらは、このロープを使って、それぞれの辺が、三つ分、四つ分、五つ分の長さの三角形をつくったのだ。

ピタゴラスは、かれらが数を幾何学的な図形に結びつけるやり方に感銘を受けた。かれは、幾何学を代数の一部門にしようとした。たとえば、正方形を平方数として考えた。点を使って正方形をつくることができる。一つの点、四つの点、九つの点、一六の点などで正方形がつくれる。こうしてピタゴラスは、正方形を平方数に結びつけ、また三角形を三角数、すなわち、三角形で表すことのできる数に結びつけた。

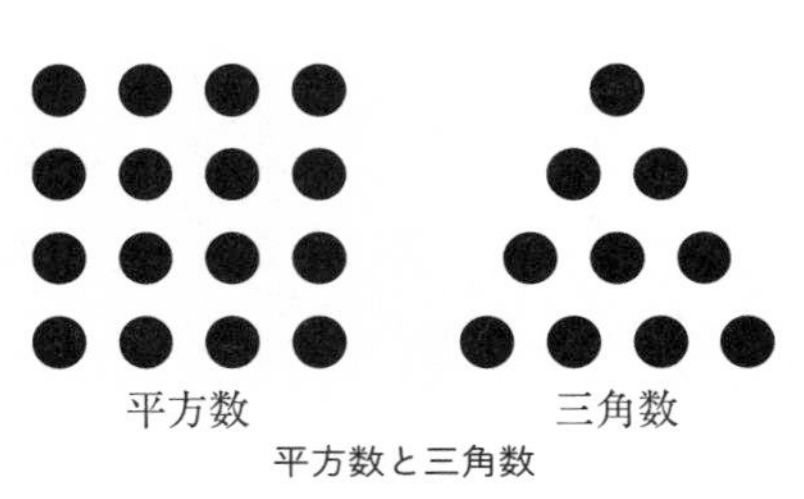

平方数と三角数

宇宙法則の探究において、ピタゴラスとその追随者たちは、天文学と音楽についても研究した。ピタゴラスは、音楽を代数に翻訳できるとも信じた。

音楽のハーモニーについて語るとき、われわれはいっしょに奏でると美しい音色のする和音に言及する。いっしょに鳴らすとひどい音のする不協和音もある。一オクターブずつちがう音は、同時に音を出すととてもいい音色がする。一オクターブ低い音を演奏する楽器の弦をもって、それをちょうど二分割すると、その各部分は一オクターブ高い音を出すだろう。素晴らしいハーモニーは、他にも、同じ長さの二つの弦を二対三の長さの比で張ると生じる。

こうして、ハーモニーも、かぎられた数ではあるが、数によって支配されている。ピタゴラスは、すべてのものが数であり、世界の基体は水や空気や火ではなく、数であると主張した。かれは、奇数が男性で、偶数が女性だとさえ考え、また善悪の問題も幾何学的な用語で語った。「善」「悪」という言葉を使わずに、ピタゴラスは「まっすぐ」だとか「曲がっている」とか言ったのだ。直線が正直で、曲線が不正直だ。これが、不正直者を意味する「曲がり者（crook）」という言葉の語源だ。

あらゆる科学は、形、図形、直線、円などに還元することができ、さらにこれらは、数や代数に翻訳できると、ピタゴラスは信じた。

――「曲がり者がまっすぐになった」という言い方はピタゴラス的なの？

そのとおり。それはピタゴラス理論で用いられた言語だ。ピタゴラスの追随者の中でもっとも重要な人物の一人が、偉大な哲学者**プラトン**（紀元前四二七〜紀元前三四七）だ。プラトンは、すべての科学が幾何学になるべきであり、すべての科学者は天文幾何学に関心をもつべきだと考えた。惑星の軌道を描いたり、そのような軌道が完全で調和のとれた円であることを証明したりすべきだと。

ハーモニー（調和）が単純な比で支配されており、それが美しい音楽を生み出すことを前に言ったね。プラトンは、ピタゴラスと同様、天球の調和を信じた。二人とも、惑星は回転する天球にはりついていて、天球間の半径の比は調和していると信じていた。天文学を理解する人々は、天文学が音楽と同じくらい美しいことを発見しようとしたのだ。

さて、プラトンは、デモクリトスとパルメニデスの二人の議論にまちがいを発見した。これについて話してあげよう。なぜなら証明にまちがいを見つけるのがどんなに難しいかがわかるからだ。

物体が動くためには空虚な空間がなければならないということに同意したのをおぼえている

だろう。空虚な空間は存在せず、したがって運動は存在しないとパルメニデスが主張し、デモクリトスは、運動が存在するのだから、空虚な空間が存在すると主張したことを見てきた。プラトンは、空虚ではない空間が存在し、そこでも運動が可能なことを発見したのだ。水の入ったバケツがあると仮定して、バケツの中の水をかき回してごらん。水のある部分が動いて出ていった後の空間に水の他の部分が入り込んでいくだろう。だから運動するのに空虚な空間は必要ないのだ。単純だろう?

プラトンは、空虚な空間とその中を運動する原子という二つの基体の存在を信じる原子論者ではなかった。かれは、空間は空虚ではないと信じた。かれは、空間の中で動くすべての物体は、円ないし渦の運動をすると主張した。これは一七世紀の科学者でガリレオの追随者だったルネ・デカルトの理論でもある。

プラトン以後、科学は衰退していった。ギリシャ科学は迷信だらけの中世がやってくるまでこの後何百年もつづいたけれども、ここでギリシャ科学とお別れするのはこのためだ。一足飛びに、デカルトに向かうことにしよう。

アリストテレスという呪縛

――ぼくは、プラトンとデカルトのあいだの時期にどんなことが起きたのかをもっと知りたいんだ。そんな長い飛躍はできないよ。

プラトンやその他すべての人たちから離れて、ただちにデカルトに向かってはいけないというのかい？　結局のところ、デカルトは、ある意味で、プラトンの追随者なのだよ。

私は、ルネサンスについて、またそれがどのようにして古代ギリシャに立ち返ったのかについて、十分話してきた。ルネサンスの人々は、ギリシャ人哲学者の本を読み、かれらを理解しようと努めることから始めた。かれらは、プラトンを明晰に理解した。アリストテレスを理解する以上に、より明晰にプラトンを理解したのだ。

――アリストテレスについても教えてよ。かれはギリシャ人だもの。

なるほど、アリストテレスはギリシャ人だった。かれは最後の偉大なギリシャ人哲学者だったが、偉大な思想家たちの中で、かれは多くの点でもっとも不明瞭で混乱していた。

第一に、かれは、事物はそうであるものとそうなりうるもの（いわゆる、事物の「現実態」と「可能態」）とでできている、と主張した。たとえば、われわれは、賢い人間について、かれには大きな可能性（態）がある、と言ったりする。またわれわれは、種子は植物になる可能性をもっており、したがって、植物になることが種子の可能態であると言ったりする。種子の現実態、すなわち、その実際のものは、それが小さい「仁」だということであり、またその「仁」はとても硬くて小さいのだ、などという。したがって、現実態と可能態は二つのものであり、世界はその二つでできているとアリストテレスは考えた。

この他に、かれは、四つの要素、もしくは四つの元素があると主張した。土、水、空気、火である。先の二つの実体（現実態と可能態）とこの四つの実体（土、水、空気、火）とがどんな関係にあるとアリストテレスが考えていたのか、それを理解するのはきわめて難しい。

アリストテレスはまたこうも主張した。すべての事物は、その事物をその事物にするための本質をその中に含んでいると。たとえば、人間の本質は、思考できることと動物であること、あるいは理性的動物であることだ。また、木の本質は浮くことと燃えることの両方が可能であることだ。アーロンも知っているだろうが、バニラ・エッセンス（バニラの本質）とかティー・エッセンス（紅茶の本質）といったものがある。またワインにも本質がある。アーロンは、ワインの本質を知っているかな。

——ぶどうでしょう？

そうではない。ぶどうはワインがつくられる素材で、ワインの本質はアルコールだ。アリストテレスは、ワインの本質は飲むと人々を酔わせるものだと言った。だからここにも、何が事物をその事物にするのかに関するもう一つの理論があることになる。この理論を四元素と結びつけること、さらには、四元素を現実態・可能態の理論と結びつけることはとても難しい。

空気を例にとってみよう。空気は「空気という元素」でできている。空気の可能態とか空気の現実態とは何だろうか？　それを言うのは難しい。われわれは、空気の可能態が上昇することだということは知っている。空気は火のように軽い。

——うん。水中の泡は水の表面へ浮かび上がってくるよ。

アリストテレスは次のように主張した。泡が浮かんでくるのは、空気の本質が上昇することにあるからだ、と。

アリストテレスの理論はまちがっているだけではなく、ひどく混乱している。かれの理論では現実態と可能態、四元素、そして事物の本質というものが関わっている。さらにこれらすべての他に、かれは原因の理論をもっている。それも何が事物をその事物にするのかに関する理論だが、それは事物をその事物にする本質という意味においてだけではなく、事物がいかにしてその事物になるのかという意味においての理論でもある。

アリストテレスの理論は、かれ以前の多くのギリシャ人による理論をまぜ合わせたもので、かれはいろいろな種類の人々からあらゆる思想を収集した。かれはとても博学な人で、多くのさまざまな人々の思想をとり入れた。これがかれをひどく理解しづらいものにしているのだ。

一つ例を挙げることにするが、それはじつにひどいものだ。もしワインを一滴とって、それを多くの水にまぜたら、ワインはほとんど消えてしまうだろう？

——うん。ワインは薄められてしまうのだから。

原子論者によると、ワインは本当に消えてなくなりはしない。なぜならワインの原子は破壊できないからだと。

——そんなこと、考えてもみなかったよ。

ではいま考えてごらん。もしワインが原子でできていて、個々の原子が破壊できないとしたら、どんなに多くの水をくわえてもワインはけっしてなくならないだろう。しかし、もしワインが連続的なものだとしたら、すなわち、かりにワインをかぎりなく分割できるとしたら、多くの水をくわえていくうちに、ワインは実際に消えてなくなってしまうだろう。

さて、アリストテレスによると、ワインの本質は、ただ単に人を酔わせるだけでなく、薄められすぎなければ人を酔わせることができるということになる。したがって、ワインの本質は、薄められすぎないものだということになる。このことは本当にアリストテレスを困惑させた。そしてかれは、ワインの本質は過度に分割することのできないものだと主張した。何ということだろう。じつは原子論者たちに反対し、デモクリトスに反論する本まで書いていたアリストテレスが、この困難を切り抜けるために、原子論的な理論を提供したのだ！

かれの混乱ぶりを示す例をもう一つ挙げよう。アリストテレスは言った。石は世界の中心ないしはもっとも低い場所に向かう傾向がある。水は二番目に低いところ、空気は三番目に低いところ、火はその一番上に、そしてこれよりさらに上には、月や太陽、惑星、星々があると。この見解は、なぜ船が浮かぶのかという問題をアリストテレスに突きつけた。結局のところ、たとえば、金属でできている船は水より重いので、沈むはずだ。

ところが、アリストテレスは、船は沈まないと言ったのだ。なぜなら船の形が水を壊れにくくしており、そして、水を破壊できなければ、船は沈みようがないからだと。この理論はまったく満足のいくものではないし、ひどく混乱している。どんな形の船が沈み、またどんな形の船が沈まないのかまったくわからない。船に穴をあけたら沈むのはどうしてなのだろうか？

——水が浸入してきて船が重くなると、沈まなければならないんだ。

そのとおりだ。でもアリストテレスの原則に従うと、船はいずれにせよ沈まなければならない。なぜなら船は水より重く、重いものは何でも下にいかなければならないからだ。

——でも木の船は、水に浮くのにふさわしい形でなくても水に浮くよ。木は水に浮くんだから。

そうだ。でもなぜ金属の船は沈まないのだろうか？　そして穴があると沈むのはどうしてだろうか？　アリストテレスはこれらを説明できなかった。これを説明したのが、**アルキメデス**（紀元前二八七？～紀元前二一二？）だ。アルキメデスは、浮力の法則を発見した人だ。アリストテレスは、プラトンのことを混乱していると主張したが、アルキメデスはプラトンの追随者だった。そのアルキメデスが、アリストテレスよりはるかにうまくこの問題を解決したのだ。

アリストテレス以後、アルキメデスの他にも、プラトンにしたがって、とても面白い方法で幾何学を発展させた科学者たちがいたが、かれらはまた物理学もわずかながら研究した。

しかし時がたつにつれて、アリストテレスの権威は支配的になり、以前より増して重要だと考えられるようになっていった。ギリシャ人が没落し、ローマ人が権力をもち始めると、科学はさらに目立たなくなった。ローマ人は明晰さよりも学識に関心をもっていたが、アリストテレスは非常に博識な人物だったので、アリストテレスはローマ人に強い印象をあたえた。

ローマ帝国滅亡後、ヨーロッパは暗黒時代、中世に入る。当時のヨーロッパでは、読むことのできる人すらごくかぎられていた。ギリシャの学問は、ヨーロッパではなく、アラブ世界、イスラム世界、すなわち、スペイン、北アフリカ、ペルシャでつづけられ、そこでも、アリストテレスはもっとも偉大な思想家と見なされた。

しだいに多くのキリスト教徒がイスラム教徒からアリストテレスについて学ぶようになり、

そしてまもなく人々は、アラビア語からラテン語にアリストテレスの著作を翻訳し始めた。それは人々がアリストテレスのギリシャ語原典を発見するよりずっと前のことだった。一三世紀までには、より多くの人々がアリストテレスの科学的な著作を研究するようになっていた。だれもアリストテレスを本当には理解しなかったが、かれらは、アリストテレスを理解できないときはいつでも、アリストテレスではなくむしろ自分たちを責めた。

——そこでかれらは、アリストテレスはけっしてまちがっていないと考えた。

そうだ。かれらは、アリストテレスはけっしてまちがいをおかさないと考えた。アリストテレスは、この世に生まれてきた者の中で、もっとも賢明で、もっとも学識のある人物だと思われた。時がたつにつれて、アリストテレスの思想に異議をとなえることはますます困難になっていった。アリストテレスに反対するものは火あぶりの刑になるかもしれなかった。

しかし、中世には他の伝統も存在していた。アリストテレスの思想はあまりにも無味乾燥で科学的すぎると考えて、アリストテレスを好まなかった人々の伝統である。実際、かれらは反科学の立場だった。こうした人々が神秘主義者なのだ。

——パルメニデスみたいな？　かれらは、すべてのものは一つで、同じものだと考えたの？

そのとおり。神秘主義者だったかれらは、真理を見つける正しい方法は科学によってではなく、宗教を通じて自らの心をきたえることによってであると考えた。思考や実験によってではなく、世界全体との合一を学ぶことによってわれわれは知識を得るのだと、かれらは言った。

ほとんどの点において、これらの神秘主義者たちは、ピタゴラスにしたがっていた。ピタゴラスの言ったことをおぼえているかな？

――**「万物は数である」だっけ。**

そう、神秘主義者でしかもピタゴラスの追随者であったかれらは、いたるところに数を見つけ出そうとした。かれらは聖書その他の大切な本を読むとき、文字数やそれぞれの文字が表す数、たとえば、Aは1、Bは2、Cは3を意味するというようなことを計算した。かれらはそれぞれの言葉の数を計算し、言葉どうしを数的に比較しようと試みた。

ルネサンスの時代、神秘主義者がついに重要な位置を占めるようになると、かれらは主張した。もし人々が伝統にしたがいたいならば、またもし古代ギリシャ人を信じたいならば、アリストテレスではなく、（ピタゴラスの追随者である）プラトンを信じるべきだ。なぜなら、ピタゴラスのほうがアリストテレスよりも前に生きていたからだと。

ピタゴラス、ひいてはプラトンに耳を傾けるべきだとの主張には、ガリレオやケプラーも同調した。そして、ヨーロッパにおけるピタゴラス主義の最後の大物二人が、デカルトとニュートンなのだ。

こうしてわれわれはデカルトに戻ってきた。これがプラトンとデカルトの結びつきに関する答えだが、それがアーロンにとって十分な答えになっていればいいのだが。

Ⅱ 偉大な科学者は「過激派」だった？

すでに述べたように、デカルトはガリレオの追随者だった。ガリレオと同様、デカルトも伝統にしたがうことを望まず、またベーコンと同様、伝統を断ち切るためには、われわれが教え込まれてきたすべての迷信を捨て去らなければならないと考えた。デカルトは自分の思考をまったくのゼロから始めたいと思い、すべてを水に流して、どんなまちがいや迷信もなしに、慎重に科学を構築しようとした。

――**まちがいのない科学！　だれでもまちがいをおかすのに。**

そうだ、だれもがまちがいをおかすが、ベーコンもデカルトも、まちがいは迷信によって引き起こされると信じていた。かれらは、もし人が最初からひじょうに注意深く、よく考えて始めるとしたら、まちがいはおかさないと信じていた。

——それは正しくないよ。

正しくはないが、とても興味深いし、重要だ。まったく新たに始めようとした上、この世界の成り立ちについてよく理解しようと努めることによって、かれらはいまの姿の科学を構築するのに貢献した。科学は、完璧でないにせよ、他の何よりもはるかにはっきりとこの世界の成り立ちを説明できる。そうだろう?

——たぶんそうだと思うけど……。

学校で教わったことにしたがう人々は、伝統主義者(traditionalist)とよばれる。かれらは伝統にしたがうからだ。他方、まったく新たに出発し、自分自身で考えようとする人々は「急進主義者(radicalist)」とよばれる。「過激派」と言われることもあるけれどね。「radical」という言葉は、ラテン語で「根」を意味する「radix」という言葉からきている。つまり、急進主義者は根本から、すなわちまさに最初から始める人を意味する。

ベーコンの経験主義学派は、観察から始めることを信じているので、急進主義者だ。デカルトの学派は、純粋な思考から始めることを信じているので、かれらもまた急進主義者だ。今日では、急進主義はとてもすばらしいものだということに、われわれすべてが一致しているわけではない。しかし、かつてはほとんどすべての科学者が偉大な急進主義者だったんだ。

この宇宙のすべてを疑う

さて、デカルトは、われわれに見えるものはどんなものでもそれを疑うことから始めるべきだと主張した。見えるものすべてが、夢かもしれないからだ。

――**パルメニデスみたいだ！**

パルメニデスは、われわれに見えるものはすべて夢であると言ったが、他方、デカルトは、夢かもしれないと言った。ちがいがわかるかな？

――**うん。でもとてもよく似ているよね。**

とてもよく似ているが、夢かもしれないと言うときは、何が夢で何が夢でないかを考えなければならない。パルメニデスは、われわれに見えるものがすべて夢であることを証明できると言いきった。

そこでデカルトは、すべてを疑うことから始めて、最後に次のように言った。われわれが見たり考えたりすることはどんなものでもまちがっているかもしれないが、われわれがすべてを疑ったとしても、一つだけ確信できることがあると。それは、われわれが考えていることである。なぜならばわれわれは疑っているからだ。

――でも、どうしてかれはすべてを疑おうとしたの？

なぜならかれが教わったことすべてにまちがいがたくさんあったし、かれはどんなまちがいもおかしたくなかったからだ。かれは自分で正しいと証明できることだけを信じたかったのだ。

――前におとうさんは、デカルトがプラトンの追随者だと言ったけど、今度は、「ぼくたちは最初から始めなければならない」とデカルトが主張したと言ってるよ。

そうだ。しかしこれは何も驚くようなことではない。第一に、われわれはいっさいをもう一度最初から始めることはできない。デカルトはこう主張したことでまちがいをおかした。第二に、かれはプラトンが述べたことのすべてにしたがったわけではない。かれは自分で証明できたと思えるものだけを信じた。後で明らかにするように、かれは実際には何かを証明できたわけではない。しかし、少なくともかれは科学的だった。

最初に、デカルトはすべてを疑った。次にかれは、自分が存在していることは証明できると考えた。なぜなら、かれには少なくとも一つのことは反証できないとわかったからだ。すなわち、自分がすべてを疑っていることを、だ。このようにしてかれは、自分の存在は確実だと言った。アーロンは自分の存在を確信しているかい？

——もちろん。見えるもののほとんどすべても存在しているよ。

ああ、しかしデカルトは、おそらくそうではないかもしれない、すべては夢かもしれないと言ったのだ。ただし、たとえすべてが夢だったとしても、少なくともそんな夢を見ている私はここに存在している。だから、このテーブルの存在やさらには自分の足の存在以上に、私は自分の存在を強く確信するのだ。

——それはかなり奇妙だよ。

科学がそもそもとても奇妙なものだということはすでに言ったはずだよ。

——これまでにおとうさんがぼくに言ったどんなことよりも変だ。

それは、実際、もっとも奇妙だ。私は自分に身体があることさえ疑っている。私が見ているすべてのものは夢かもしれないが、夢を見ている私は少なくともここにいる。だから私は確実に存在している。

では私は何なのか？　どこから私はきたのか？　デカルトの答えは、神が自分を創ったというものだ。だから、われわれの存在を確信するのだという。さて、もし神が存在するなら、その神が嘘をつくわけがないのをわれわれは知っているね？

——うん。

すると、われわれが世界についてもっている、明晰判明な観念はすべて真であるにちがいない。もしわれわれが最善を尽くして明晰判明に考えたにもかかわらず、自分たちの考えがまちがいだったことがわかったりしたら、神は嘘つきだということになるだろう。しかし、そんなことはありえない。ここにおいてデカルトは、明晰な思考という、ある意味で宗教的な体系を確立した。

――その体系は何とよばれているの？

名前はないと思う。もしそう言いたいなら、主知主義（Intellectualism）とよぶことができるだろう。デカルトはまた、もしわれわれが厳密に考えるならば、われわれが本当に理解しうるものは幾何学と、原因に関する単純な理論であると主張した。すべての物体（ひろがりをもった幾何学的物体）は、他の物体と衝突するまで直線上を一定の速さで動き、ひとたび衝突すると、再び衝突するまで異なった方向に異なった速さで動くだろう、と。

ここで、デカルトの慣性の法則がとても重要なものになってくる。ガリレオの慣性の法則は、すべての物体は他の物体と衝突するまで円を描いて動くと述べる。デカルトは、すべての物体はもっとも単純な道のり、すなわち、直線上をほかの物体と衝突するまで動くと言った。

しかし、物体はつねにお互いに衝突し合っている。なぜなら、動くためには、それぞれの物体は渦の中を動かなくてはならないからだ。その理由は、空間は充満しており、ある物体は別の物体をその場所から押しのけることによって、すなわち、それにとって代わることによってのみ動くことができるからで、そして、それは互いに押し合う物体の列が閉ざされてしまうまでつづくのだ。こうして物体は渦に沿って運動し、たえず互いに衝突し合うにちがいない。

デカルト理論にもとづく世界は、大きな「時計」のようなものだ。時計の一つの歯車はもう一つの歯車を押す。すべてのものは押されることによって動かされる。世界はさまざまな形の原子や粒子で満たされているが、それらは互いに押し合っている。太陽系は一つの大きな時計であり、また犬や猫や植物もみなある種の時計である。もしそのような時計の中に歯車が見えないとしたら、それは歯車が目に見えないものだからだ。たとえば、地球は太陽のまわりを円運動、あるいはほぼ円運動しているだろう？

――うん。楕円を描いて動いている。

デカルトは楕円であることを知らなかった。デカルトはケプラーより後に本を書いたのだが、ケプラーのことを知らなかった。そしてデカルトは地球が円運動していると思っていたので、円運動するように地球を押すためにはたくさんの小さな粒子が必要であると推論した。さもなければ直線運動になってしまうからだと。

したがって、デカルトによると、太陽系には大きな時計が存在し、それは渦の中を動くひじょうに小さな粒子でできているということになる。ひとたびその粒子をかきまぜると、運動が次々と進行していく。実際のところ、その粒子はとても小さく細かすぎて見ることはできない。デカルトはそれらを「エーテルの粒子」とよんだ。エーテルは大気より薄いが、しかしその渦巻き運動は地球を押して太陽のまわりを回らせることができるくらい強力なのだ、と。

――その仕事をしているのは重力じゃないの？

そうなのだが、重力というのはニュートンの理論であって、デカルトの理論ではない。それはデカルトの後に生まれたものだ。デカルトだったら重力のような力を信じなかっただろう。そのような力は不可解で混乱しているように見えるからだ。

――上に投げると下に落ちてくる石はどうなるの？　デカルトはこれをどうやって説明したの？

デカルトによれば、エーテルの渦巻き運動によって石は地面に戻ってくる。デカルトは次のことを信じていた。物体は、ビリヤードのボールのように、互いに押し合っているのであって、お互いを押し合うことによる以外には運動を生じさせることはありえないと。すべての影響は、デカルトによれば「押すこと」なのだ。

いまでは、これはとても奇妙だ。知っているだろうが、物体は互いに引っぱり合うこともできる。アーロンは、引っぱることとの例を挙げられるかな？

――えーと、ロープで何かを引っぱることができるよ。

デカルトだったら、それは引っぱっているように見えるだけで、実際には押しているのだと言うだろう。物体がロープによってどのようにして引っぱられているのかを注意深く見れば、物体がロープでくくられていることに気づくだろう。

――物体がくくられているから、ロープはそれを引っぱることができるんだ。

まさにそのとおりだ。しかし、もし物体がロープでくくられているなら、ロープはその物体の後ろに巻かれていることになる。だからロープはその物体を押しているのだ。

簡単な例を挙げよう。馬は荷車を引っぱることができる。しかし注意深く見ると、馬は引き具をつけていて、その引き具を押していることに気づくだろう。馬は引いているのではなく、押しているのだ。

アーロンがバケツの水をもち上げるとしよう。アーロンは、バケツを引っぱっていると思うのではないかな?

――底からもち上げないかぎりはね。

そうだ、もし底からもち上げているとすれば、バケツを押し上げることになる。取っ手をもっているとすれば、バケツを引っぱっていると思うだろう。しかし注意して見ると、アーロンは取っ手を押し上げているのだ。

――でも上からもつなら、バケツを引っぱることになるな。

アーロンは「引っぱる」と言うが、デカルトは、もち上げるとは「上に押すこと」だと言った。デカルトの理論では、物体は、衝突しないかぎり、慣性の法則にしたがって、ある一定の速度で直線的に運動するという。物体は衝突すると運動を互いに伝え合うが、世界における運動の全体量は一定のままなのだ、と。

この理論に対する批判については後で述べることにするけれど、デカルトの理論が奇妙な理論であるにしても、実際のところ、ひじょうに科学的であることには同意してくれるだろうね？

デカルトと物理学

——デカルトは人工衛星について何て言ったの？

そうだな、デカルトによると、重力といったものはない。物体はまっすぐに運動して、そして……

——他の物体にぶつかる。

そのとおりだ。だからもしわれわれが空中に石を投げたら、石は落下するが、それは、地球が回っているエーテルの渦とその石が衝突するからだ。なぜ月は落ちてこないのだろうか?

——月は外の空間(outer space)にあるからだよ。

「外の空間」というのは、どんな意味かな? 結局のところ、物体が落ちるかどうかは、その物体がどこにあるかは関係なく……

——渦と関係するんだ! だから月は、渦の中にあるから、落ちてこないんだ。

そうそう、月は別の渦、たとえば、地球近くの石とは異なる渦の中にあるからだ。そこで、もし石が地球の渦を離れて、別の渦の中に入ったら、それは人工衛星になるだろう。デカルトによると、したがって、われわれは人工衛星をもつことが**でき**るのだ。

——デカルトは、石をそんな上のほうにもち上げるやり方を述べたの?

いや、かれにはそのやり方がわからなかった。これらの渦についてあまりよく知らなかったから、かれには計算することができなかった。もちろん、われわれはその「渦」が存在しないことを知っているけれども。

——その代わりに、重力が存在するんだ。

そうだ。デカルトがまちがっていたことを本当に証明することはできないが、世界の事物を予測するのにデカルトの理論が役に立たないことはよく知られている。例を挙げよう。二つの磁石を互いに近づけると、どうなるか知っているかな？

——**磁石どうしがぶつかる。**

そう、それらは影響し合う。磁石は互いに引きつけ合う。また、互いに反発させることもできる。それぞれの磁石にはN極とS極がある。N極は、自由に回転させると、北の方向を指す磁石の部分だ。いまのわれわれは、N極とN極が反発し、またS極とS極も反発するが、N極とS極は互いに引きつけ合うことを知っている。

デカルトによると、反発力や引力などというものはない。唯一起こりうることは、粒子どうしの押し合いないしは衝突だけなのだ。したがって、デカルトは、もし二つの磁石がお互いに引きつけ合うとしたら、実際に起きているのは、二つの磁気エーテルの渦があって、その渦が磁石を押して*いる*のだ、と言った。

しかし困ったことに、われわれにはこれらの渦を見ることはできないし、また、われわれが磁石をある場所から他の場所に移すとき、渦が磁石といっしょに動くのはなぜかということを説明することもできない。ここでもそうなのだが、たとえデカルトの理論がまちがいだとしても、われわれにはそれを批判する手だてがないようだ。問題は、重力や磁力の渦を見ることができないのに、なぜ人々はデカルトを信じたのだろうか？　ということだ。

——**なぜって、デカルトは、それらが顕微鏡でしか見えないものだ、と人々に言ったから。**

では、どうして人々はそれを信じてしまったのだろうか？

――うーん、かれらのほうがデカルト以上によく知っていたとはぼくには思えないけど……。かれらはおそらく、デカルトを信じるべきかどうかわからなかった。それで、人々はデカルトを信じることに決めたんだよ。

デカルトを信じるべきかどうか人々がわからなかったのは本当だろう。だが、人々はデカルトを信じることに決めた。問題は、その理由だ。

――他に信じられる人がいなかったからだ。

いや、他の人々を信じることもできたよ。たとえば、アリストテレスとか。あるいは、だれも信じないことだってできたのだ。ベーコンやデカルトが、自分で確信がもてないかぎり、だれも信じるな、と人々に言った後ではとりわけ、そうだ。なぜかれらはデカルトを信じたんだい？

――お手上げだよ。

ここに二つの答えがある。第一に、デカルトが科学的でしっかりとした理論を提示したこと。

――他のどれよりも、という意味だよね。

われわれなら、「より厳密な」という言い方をするだろう。その点では、まったくアーロンの言う通りだ。しかし当時の人々は、デカルトの理論がありうるかぎりでもっとも科学的なものだと考えていた。「唯一の変化は運動であり、その運動の唯一の原因は押すことにある」という理論よりも確からしい理論はありえないと人々は思っていた。

次に、その理論が成功したことだ。成功した事例を述べることにしよう。おぼえているだろうが、引っぱるように見えてじつはそうではなく、押しているのだという例をすでに挙げたよね。馬は荷車を引っぱっているように見えるが、じつは荷車を押しているのだ。

――うん、馬は引き具を押しているんだ。

そのとおり。だれにとっても引っぱっているように見えるが、ガリレオやデカルトによると、実際には押しているとわかるような、もっと単純で美しい例を挙げることにしよう。

この例は、ガリレオの追随者の一人で、デカルトと同じ時代に生きていた、**エヴァンジェリスタ・トリチェリ**（一六〇八〜一六四七）という科学者によって慎重になしとげられたものだ。トリチェリは吸引に興味をもっていた。ストローでソーダを飲んだり、井戸の水をくみ上げたりするのに、吸引を使うことができる。

さてアーロンなら、ストローの助けを借りてソーダを引っぱり上げるというのではないかな？

――うん、そしてまた肺の助けも借りるんだ。

どのようにするのかな？　と私は尋ねた。

――ストローから空気を吸うんだ、そうやってつくられた真空がソーダを引っぱり上げるんだよ。

アーロンの説明はアリストテレス的だ。というのもアリストテレスが、真空が液体を引っぱり上げると主張した最初の人だからだ。かれの理論は「真空を恐がる」という意味で、真空嫌悪（horror vacui）説とよばれている。自然は真空を恐がるので、液体を下のほうからストローの中へ引っぱり上げることによってその真空は満たされるのだとアリストテレスは言った。

しかし、この理論は真ではない。もっといい説明がある。ストローから空気を吸いこむとき、ストローの外側にある空気の圧力によって水が押し上げられるのだ。

――さっきはソーダって言ったよ。

そうだった。だけど、われわれの目的にとっては、それが水であろうとソーダであろうと問題にはならないのではないかな？

――問題じゃないね（笑）。

ほらごらん、問題にならないときには、あまり正確である必要はない。つづけてもいいかな？　吸い上げポンプがはたらくのは、水をあまり高く上げようとはしないときにかぎるという事実がある。水をおよそ一〇メートル以上に上げなければならないとすると、ポンプははたらかない。ストローがおよそ一〇メートルより長くない場合にだけ、ストローでソーダを飲むことができる。

人々が地下から水をくみ上げようとしたとき、およそ一〇メートルより深いところからは水をくみ上げられないことを発見したのは中世においてだ。

アリストテレスの理論によれば、ストローの長さがどんなに長くても、空気を吸えば、その真空を埋めるために水が入ってくるはずだ。そうだろう?

——**そうなるはずだよね。**

したがって、アリストテレスの理論はまちがっていた。しかし、おぼえているだろうが、人々はアリストテレスの理論を信じるために手あたりしだいの弁解をしていた。

デカルトの「誤り」がニュートンの道を拓いた

トリチェリは、デカルトの「押し」の理論(theory of push)を用いて、天才的なアイデアを思いついた。しかも、このアイデアは、外の空間に関しても、とても興味深く、とても重要な事実を明らかにした。水はおよそ一〇メートルの高さまでしか引き上げられないとトリチェリは言った。なぜなら空気は、あるかぎられた高さまでしか行き渡らないからだ、と。外の空間には、空気は存在しない。大気には限界があり、したがって、ストローを通して水を引き上げるのに必要な大気圧はその限界までの大きさであり、それ以上はありえない。水の代わりに水銀を使うと、水銀は水より一〇倍以上重いので、水銀が引き上げられる最大の高さはわずか七六センチメートル程度である（トリチェリの定理）。

さて、「吸引は大気圧の押しによる」という理論を検討し、かつ批判できることを明らかにしたいと思う。それは次のように推し進めることができる。吸引が実際に外からの大気圧によるものであると仮定しよう。もし大気圧が低くなったら、水銀に何が起きるだろうか？

——水銀柱の高さは低くなるよ。

では、もし大気圧が高くなったら？

——水銀柱は高くなるね。

そのとおり。では、どうしたら大気圧を低くすることができるかな？

——うーん、わからないよ。

いや、知っているはずだ、と私は答えた。飛行機が飛んでいる高さの大気圧はどうなっていると思うかい？

——地球上の気圧より低いんだ。だから、ぼくたちは飛行機を一定の気圧に保たなければならない。ぼくたちは地球上の高い気圧に慣れているから。

もし水銀柱を高いところにもっていったら、水銀柱はどうなるかな?

——水銀柱の高さが下がるよ。

このようにして、われわれはその理論をチェックしたり検討したりすることができるのだ。これはデカルトの時代より少し後、一七世紀に生きたフランスの科学者、**ブレーズ・パスカル**（一六二三～一六六二）によっておこなわれた。パスカルは人を使って、水銀柱を山の頂上にもっていかせ、何が起こるかを観察させた。水銀柱の高さが下がったのだ。

実際には、このことは起こらなかったかもしれない。天気が変わると、気圧も変化するからだ。だから、パスカルが人をその山に送ったとき、水銀柱の高さが下がったのはトリチェリの理論にとっては幸運だった。天気によっては、水銀柱の高さは上がることも下がることもありえたからだ。とにかく、平均的には、高いところに上がれば気圧は下がる。そしてもしわれわれがとても高いところにのぼれば、もちろん気圧はかなり下がることになる。

そんなわけで、飛行機の機内は一定の気圧に保たれなければならないのだ。宇宙飛行士は宇宙船内にさらにもっと圧力を必要とする。なぜなら外の空間にはほとんど気圧がないからだ。

——空気がぜんぜんないってことだよね。

実質的に、空気はまったくないんだ。このように、「吸引は押すことである」という理論を使うことによって、トリチェリはまったく空気のない場所が存在することを発見した。だから人々が外の空間を発見するのに、いまのわれわれにはまちがいだとわかっている「押し」の理論が役に立ったのだ。

――それはとても面白いね。だけどなんでそんなことが起こりうるの？　結局、その理論はまちがいだというのに。

そうだ、すべてが押すことだという理論はまちがっている。だが、すべてが押すことではないとしても、吸引は押すことだね？　そう、この点でデカルトとトリチェリは正しかったと考えられる。「押し」の理論がいかに成功したかについて、別の例を挙げることにしよう。

当時、**ウィリアム・ハーヴェイ**（一五七八～一六五七）という、とても重要なイギリスの医者がいた。ハーヴェイは、心臓がポンプであることを発見した。ポンプといっても吸い上げポンプではなく、押し上げポンプだ。かれは心臓が全身に押し出すことのできる血液量を注意深く測定した。次にかれは、血液を上下に移動させるために必要な、心臓が血液におよぼさなければならない圧力の程度を決定しようとした。

――血液の中には下がるものもあれば、上がるものもあるということなの？

そのとおり。ほら、血液は心臓から足に向かって流れているだろう、それが下向きだ。他方、血液は心臓から頭にものぼる、それが上向きだ。それから、足から心臓に戻ってくるのが上向きで、頭から心臓に戻ってくるのは、下向きだ。

このポンプ作業すべてをおこなうのに圧力を必要とするが、その圧力の程度は計算できる。そのようにして、血液は心臓から足に押し出され、また足から心臓に向かって押し上げられるのだが、それは一つの閉じた輪、つまり実際、渦の中で起きているのだ。

――渦?

そうだ、渦だ。血管は閉じた道でそれにそって運動がおこなわれるのだ。アーロンはデカルトの渦をおぼえているかな? 血液は心臓から足に流れ、そして再び戻ってくるとき、ある種の渦にそって移動している。

さて、われわれが何について話していたのか、思い出してみよう。われわれは「押し」の理論がまちがっていることを知っているが、一七世紀の人々は知らなかったのだ。その理論の一部、たとえば、磁石における渦や重力の渦といったものについては、実際に検討してみることができなかった。

しかしながら、その理論にはチェックすることのできる部分もあった。吸引理論と血液循環理論はデカルトの「押し」の理論と合致した。あるいは、少なくとも合致したように思われた。

最終的に人々がデカルトの理論を却下したのはなぜだろうか。その答えはとても奇妙なのだ。もし重力が渦によって生み出されるのだとしたら、すべての天体は太陽のまわりを同じ方向、すなわち、太陽系の渦の方向に回るはずだ。デカルトの時代には、これは真だと見なされていた。実際、ほとんどすべての惑星は太陽のまわりを同じ方向に動いている。知っていたかい？

——知らなかった。

さて、これは不思議な事実だが、今日のわれわれでさえたしかに理解しているとはいえないことなのだ。ほとんどの惑星、少なくとも三〇〇年前に知られていたすべての惑星は、太陽のまわりを同じ方向に動いている。デカルトは、太陽のまわりにはすべて同じ方向に動いている渦があると仮定することによってこれを説明した。

その後、一六六一年に何人かの天文学者が彗星を発見した。かれらは、彗星を注意深く観察し、彗星が反対の方向に動いているのを確認した。この事実は、デカルトの理論（渦動説）が偽であることを明らかにした。ティーカップの中の紅茶をかきまぜると（渦になるが）その中のほとんどのお茶っ葉（それが惑星にあたる）がすべて同じ方向に進み、ところが、一枚のお茶っ葉だけがそれとは反対の方向に進むなどということを想像できるかい？ アーロンは、これが不可能だと認めるよね。

——うん。

それで、一六六一年に人々は、デカルトの惑星運動の理論にはどこかまちがいがあると気づいた。こうしてニュートンが自分の理論を発展させる道が開けた。ところがおかしなことに、ニュートンもまたデカルトの理論を信じていたので、自分の理論は、真であるにしても、あまりエレガントではないので、中継ぎ的で暫定的な理論にすぎないと考えたのだ。

ニュートンは、かれの重力理論は、最終的には、後世に発見されるはずの何らかの「押し」の理論によって説明されるであろうと考えていた。もちろん、実際に起きたことは、デカルト的な理論は放棄され、みんながニュートン主義者になったということだった。

Ⅲ　もうひとつの科学革命

以前、われわれはコペルニクスとその重要性について話し合い、またコペルニクスの重要性を最初に認識した人物がガリレオであったと言った。ガリレオは、人々がコペルニクスの理論を受け入れるためには、天文学上の革命だけではなく、科学全般における革命が必要なことを示した。

さてここで、フランシス・ベーコンに戻るべきだと思う。かれは、別の種類の科学革命を始めたのだ。

――ベーコンって、人々は物事を観察して事実を学ぶべきだと考えた人じゃないの？

そうだ。ガリレオとデカルトはよく考えることの重要性を他の何よりも信じていた。ベーコンのほうは見ることから始めようとした。というのは、もしも人が見る前に考えてしまうと、証拠を得る前に問題の判断をくだしてしまいがちだからだ。まず証拠を集めよ、とかれは言った。次に、証拠自身に語らせせよ、と。

ベーコンは、実際のところ、その当時には科学にあまり影響をあたえなかった。かれ自身は科学者ではなかった。おぼえているかもしれないが、かれはイギリスの大法官だった。ベーコンはコペルニクスをペテン師とよんだ。なぜならコペルニクスは、自分であつかえる真の事実をほとんどもち合わせていなかったからだ。

ベーコンは科学者たちに、だれにでも理解できるような事実、より多くの事実、単純な事実を注意深く提供するように警告した。そうすれば、それらの事実から真なる理論が現れたときには、みんながそれを信じるだろう。このようにすれば、科学者たちのあいだの口論や意見の不一致は避けることができ、科学はまちがいから免れるようになるだろう。

ガリレオは、もし自分たちが後にまちがいから抜け出せるのなら、まちがいをおかしてもかまわないと言ったが、ベーコンは、すべてのまちがいはとても危険なものだと考えていた。一度でもまちがいをおかすとわれわれの精神は毒され、訂正を受けつけなくなるだろう。したがって、科学においてもっとも重要なことは、あわてず、忍耐強くなることと、確実に終えられるようなごくわずかな仕事だけに着手することなのだと。

ベーコンとガリレオのあいだでは、伝統など重要ではなく、科学者たちは、正しいこととまちがっていることを、自分自身で決定しなければならないという点で一致していた。ガリレオとデカルトは「主知主義者」で、ベーコンは「経験主義者」だった。

——経験主義者って、自分の目で見て、事実を学ぶことを信じる人のことだよね。

そうだ。まず事実を学び、その後で理論を立てるのだ。さて、ベーコンの影響の話に戻ろう。ベーコンは、かれの時代には受け入れられなかった。多くの科学者は、かれの言うことを真剣に受けとめなかった。心臓がポンプであることを発見した医者、ウィリアム・ハーヴェイは、ベーコンを知ってはいたが、かれのことをそんなに賢いとは思っていなかった。

しかしベーコンは、あるとても重要な考えをもっていたのだ。当時すべての大学は教会によって支配されていた。カトリックの国々ではカトリック教会によって、あるいは、たとえばイギリスのような国では、プロテスタント教会によって。大学が宗教によってではなく科学によって導かれるべきであり、聖職者によってではなく専門的な科学者によって運営されるべきだと主張した最初の人がベーコンだった。

ベーコンの死後、実験し、発見して、創造することのできる新しい大学について真剣に考える人々が現れた。そのような大学は国のもっとも重要な機関となり、大学の学長はとても重要な人物、通りで喝采を浴びるような人物となるだろう、と。

一部の学者たちはイギリスでの内乱の後、このような大学を設立しようと試みた。結局、その代わりとして、イギリス王立協会が創設された。この協会は、国王チャールズ二世の許可のもと、設立された。イギリスでもっとも優れた人々がこの協会に加わり、そして初めて、科学者などの重要な人々が、船のつくり方や火薬のつくり方というようなことを学び始めた。

王立協会を設立した人々は、もし純然たる事実を十分に集めることができるならば、自分たちは崇高な新しい科学を構築することができ、それによって新しい世界が始まるであろう、と強く信じた。この新世界においては、機械が人間の仕事をおこない、すべての人に繁栄をもたらすであろう、と。

一六〇〇年当時、科学が大学でわずかなりとも組織化されたにせよ、その大学は宗教的なものであった。もっとも重要な宗教組織はカトリック教会であり、その教会が科学にとって障害となった。ガリレオ裁判の後、しばらくのあいだ、事態は不透明だった。デカルトは教会に苦しめられることはなかったが、教会を恐れていた。またかれの母国であるフランスはカトリックだったので、プロテスタントの国へ亡命することを選んだ。

科学集団の誕生

一六六〇年、科学は、大学でもなく宗教的でもない、新しい種類の社会の中に組織化され、そのメンバーは、自らが欲することは何でも自由に考えることができた。というのは、たとえ王立協会がベーコンの思想にもとづいていたとしても、そのメンバーは理論の存在を強く信じていたからだ。かれらはコペルニクス主義者……

——太陽が宇宙の中心にあると信じる人々のことだ。

そしてデカルト主義者……

——すべての物体は他の物体にぶつからないかぎり一直線に動くと信じる人々のことだね。

王立協会でもっとも重要なメンバーはロバート・ボイルで、かれは空気とその弾性に関するとても重要な法則を発見した偉大な哲学者、科学者だった。おそらくアーロンは、空気が弾性体だなどとは思ってもみなかっただろう。しかし、われわれが風船の中に空気を入れようとすると、空気は押し返してくる。空気は圧縮することができるが、空気は圧縮されると膨張しようとする。この空気の弾性は、ロバート・ボイルによって研究され、かれは真空ポンプもつくり、気圧計や大気圧にも興味をもっていた。

当時、多くの科学者は、大気圧に興味を抱いていたが、それはトリチェリの実験がおこなわれたからだ。ボイルは次のような法則を定式化した。それによると、たとえば空気の温度が一定である場合、空気の体積が減少するにつれて圧力は増大するという。圧力を増大させたければ、体積を減少させればよいというわけだ。たとえば、車のタイヤ内に空気をより多く送り込むことでそのタイヤの圧力を大きくすることができる。

ロバート・ボイルは原子の存在を信じており、そこでかれは空虚な空間は存在しないというデカルトの哲学を少し変更した。物質は空間を完全に満たすことはできず、空虚な空間があるとボイルは主張した。原子はこの空間の中を一直線に運動し……

——それは互いにぶつかり合うまでつづく。

そのとおり。これがボイルの力学的哲学だった。ボイルによれば、世界は空虚な空間とさまざまな形の粒子ないしは原子からできていて、すべては互いにぶつかり合うまでは直線運動をする。時には、固定した軌道を動くことがある。なぜならそれらが互いにぶつかり合うしかたが一定だからだ。これらの固定した軌道が、たとえば、惑星を楕円で運動させたり、心臓をポンプのようにはたらかせたりするのだ。

ボイルは、トリチェリの真空の発見をとても真剣に受けとめた。デカルトなら、真空について何て言ったと思うかい？　デカルトは空虚な空間にはまったく何もないと考えたと思うかい？

――思わないけど。

それじゃあ、中に空気がない空間があったとして、デカルトならその空虚な空間に何を入れたと思うかな？　空っぽに見える空間の中には他に何がありうるかな？

――エーテルだ。

ではなぜわれわれにはエーテルを見ることができないのかな？

――なぜって存在しないからだよ。

たしかにわれわれはそう考えているがね、と私は笑いながら言った。しかしデカルトは、エーテルは存在すると思っていたのだ。われわれにそれが見えないのはなぜだと、彼は言ったかな？

——それは微視的だからだよ。

そうだ。エーテルは非常に薄く、そしてその粒子は微視的だからだ。当時、二種類のデカルト学派のあいだで重大な論争が起こっていた。デカルトのように真空を信じない人々（かれらは、空間はプレヌム〈plenum〉、つまり物質が充満していると信じていたので「プレニスト〈充満論者〉」とよばれていた）と、ボイルのように空間は真空であると信じる人々（「ヴァキュイスト〈真空論者〉」とよばれた）の二派だ。

しかしどちらのグループも、力のように見えるものはどんなものであれ本当の力ではなく、粒子の衝突によるものなのだ、そしてその結果、お互いにぶつかり合ってお互いの進路を変えるのだという点では一致していた。

ニュートンと人工衛星

アイザック・ニュートンが大学生活を始めたときに足を踏み入れた科学上の雰囲気はこのようなものだった。ニュートンは、離れたところに作用する「力」とよばれるものの存在を信じるようになり、こうして、「ニュートン革命」とよばれる科学における真の革命を開始した。当時の多くの偉大な科学者たちにとって、ニュートンの理論は驚くべきものであり、困惑させられるものだった。

一方では、それは多くの事柄を説明し、あらゆる種類の事実についての正確な計算と、正確な予測を可能にする素晴らしい理論だった。だがもう一方で、それは一歩後退だった。その理論は、どう見ても科学的に厳密とはいえない形で、遠隔作用する力について述べていたからだ。月が潮の満ち引きを引き起こすなど、とても理解しがたいその他もろもろの不可解なことを述べていたのだ。

ニュートンの力の理論は当時の科学者たちのあいだに大きな論争を引き起こした。「力というようなものは本当にあるのだろうか」「力はどのようにして離れたところに作用しうるのか」「われわれはいつでも、原因はそこから離れた場所にではなく、それがある場所で作用するにちがいないと考えてきたのに」と。

――わかったけど、人工衛星の話にたどりつくまで待てないよ！

人工衛星になるまでに必要な速度を計算するのを可能にしてくれたのが、ニュートンの力の理論なんだよ。ニュートンの力の理論についての一般的な考えを教えれば、人工衛星を打ち上げるのに必要な速度をどのようにしたら計算できるのかがわかるだろう。

——だけど、人々が人工衛星を実際に打ち上げるのに長い時間がかかった。

うん、そうだ。ニュートン理論が一六八七年に発表されて以来、ほぼ三〇〇年ものとても長い時間を要したのだ。

——なぜニュートンの計算を利用するまでに三〇〇年近くもかかったの？

ロケットにふさわしい燃料がなかったからだ。今日われわれが打ち上げているロケットは、たとえば三〇〇年前に人々がつくることのできたロケットとたいしてちがわない。でも、われわれが現在用いている燃料は、一〇〇年前よりもずっと性能がよいのだ。

もう一つ、その当時、人々は宇宙服やその他の装備のつくり方を知らなかった。われわれの最初の人工衛星でさえも無人だったよ。

——いまではロケットの制御のしかたについてもずっとよく知っているよね。

まったくそのとおりだ。人工衛星を打ち上げるために、ロケットは上にではなく横向きに発射されなければならない。なぜなら、ロケットが横に進む速度が、ロケットを地球に落ちてこないように維持しているからだ。

——横に発射されているなんて知らなかった。

考えてごらん。もしまっすぐ上に発射されたロケットが燃料を使いきってしまい、しかもそのときまでにロケットが地球からの影響を受けないほど遠くに離れてしまっていたら、このロケットに何が起こると思う？

——きっと太陽系から外れて他の惑星に衝突するんじゃないかな。

まさにそうだ。ロケットはまっすぐに進んでいくだろう。法則にしたがって……

——慣性の法則だね。

ロケットは、他の惑星や星の重力場に落下しないかぎり、慣性の法則にしたがって動きつづけるだろう。

——星って、太陽かもしれないね。

そう、太陽かもしれない。太陽もまた星だからね。ロケットがまっすぐ発射され燃料が尽きたとき、まだ地球の引力圏内だったとしよう。今度はロケットに何が起こるかな？

——落下しちゃうよ。

そうだ、でもすぐにではない。起きることは、空中に真上に投げられたボールや石に起きることとちょうど同じだろう。

——ちょっと上に進んでその後落ちてくる。ロケットは残っている慣性のままに進んでいく。

そのとおりだ。石は放り上げられた瞬間に落下し始める！　もしアーロンが石を上に投げたら、石はすぐに速度を落とし始める。まず石が秒速二〇メートルの速さで放り上げられたとしよう。一秒後には石の速度は秒速一〇メートル遅くなるから、石の速度は秒速一〇メートルになる。もう一秒後にはさらに秒速一〇メートル遅くなり、その速度は……

——ゼロだ。

そしてそれからさらに秒速一〇メートル失う、つまり……

——落ちてきちゃう！

秒速一〇メートルの速度でね。そしてもう一秒後には、さらに秒速一〇メートル遅くなり、その速度は秒速二〇メートルになって落下する。そうだね？

——そうだよ。そしてもう一秒後には秒速三〇メートルだ。

だから、わかるだろう、もしロケットが十分遠くまで打ち上げられたら……

——太陽系の外に出てしまうか、他の惑星と衝突してしまうね。

そしてもしロケットが十分遠くまで打ち上げられなかったら、そのときは……

——地球に戻ってきてしまうよ！

だから人工衛星を空に飛ばせたままにしておく唯一の方法は……

——やっぱりわからないよ。

月のように、横に進むように保つんだよ！

——横に保つだって？

もちろんそうだ。ほら、ロケットはある地点までのぼっていき、それから遠隔操縦によって

われわれはその方向を変え、ロケットを横に動くようにする。もしロケットがものすごい速度で横に進んだら、何が起こるかな？

——太陽系から出るか、他の惑星にぶつかるかだ。

では、もしわれわれがロケットにほんの少しの速度しかあたえなかったら、何が起こるかな？

——地球に戻ってくる！

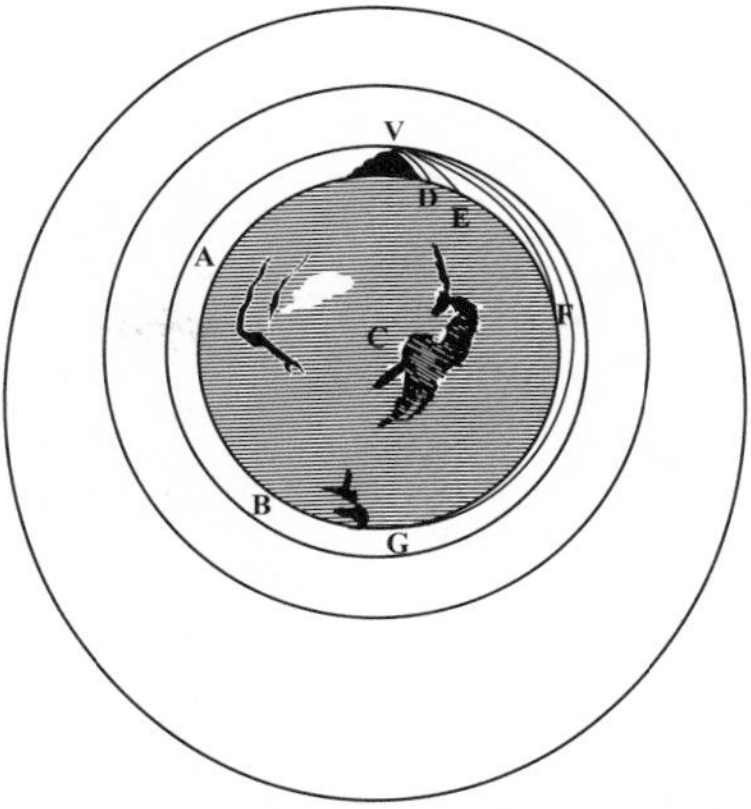

地球上のさまざまな高さから水平方向に発射された投射体の軌跡に関するニュートンの考え。

だけどもしわれわれがその二つの中間くらいの速度をあたえたら、ロケットはその中間の場所に留まるだろう。ロケットは地球外の空間にも出ないし、地球にも戻ってこないで、中間に留まり地球のまわりを回りつづける。

——月のようだね。

そうだ。こうして人工衛星がつくられた。また、これらすべての計算はニュートンの理論にしたがっておこなうことができるのだ。それをいま説明できると思う。

ニュートンによると、高く上がれば上がるほど、しだいに地球の重力から離れるため、下向きの加速度は小さくなっていく。これがニュートンの主要なアイデアである重力理論だ。地球から遠く離れれば離れるほど重力はより小さくなる。たとえば、地球から二倍離れれば、重力は四倍小さくなる。もしわれわれが三倍地球から離れれば、われわれの体重は、三かける三で、九倍少なくなる。では四倍地球から離れると……

——四かける四で、一六倍だ。

これは、ニュートンの「逆二乗の法則」として知られている。逆というのは反対という意味で、それが「反対」なのは離れれば離れるほど、大きくなるのではなく、小さくなるからだ。それが「二乗」なのは、距離が二倍になると、二倍小さくなるのではなく、四倍小さくなり、距離が三倍になると、三倍小さくなるのではなく、三かける三倍小さくなるからだ。

ニュートンはまた、力一般についても述べることがあった。かれは、二つのとても重要な点を指摘した。もしもっと時間があれば、この二つの法則が、実際に、デカルトの二つの法則、少なくとも、デカルトのもっとも偉大な追随者の一人であるスピノザによって理解された法則の改善であることを話せるのだが。

しかし、デカルトとスピノザは、力について語るのを嫌がった。そうしなければならないときでさえ嫌がったのだ。そこで、ニュートンの力の二法則に話を戻そう。

第一に、同じ大きさの力は重いものよりも軽いものにより大きく作用する。同じ大きさの力で、われわれは重いものよりも容易に軽いものを押すことができる。この力への抵抗は「質量」として知られているが、そこでわれわれは、質量の少ない物体は、質量の多い物体よりもたやすく動かすことができると言える。ニュートンの力の法則では、力が加速度を引き起こすというのだが、加速された物体の質量がより小さいならば、より大きな加速度を引き起こすことになる。

第二に、ニュートンの作用と反作用の法則もまた、ひじょうに重要なものだ。私がアーロンを押すとき、アーロンも私を押している。あるいは、私がアーロンを引っぱるとき、アーロンも私を引っぱっている。アーロンが私を押さないようにしつつ、私がアーロンを押すのは不可能だ。さらに、アーロンを私のほうに引っぱったり、私から遠ざけたりできるのは、直線上においてだけである。力は、二つの物体を結びつけている直線に沿ってはたらくのだ。

――わかった。地球がぼくを引っぱって、そしてぼくも地球を引っぱっているんだね。でも、だれもがそんなことを理解できるとは思えないよ！

それがほんとうのことだなんて信じられないというのだね。理解はしても、馬鹿げていると思っているのではないかな？

――理解はするけど、自分が地球を引っぱっているなんてだれが信じるのさ？

だけど、ではもう一度力の法則を思い出してごらん。力の法則によれば、物体の質量がより小さいならば、力は物体をより加速させるという。では、アーロンと地球とでは、どちらの質量が大きいかな?

──地球だよ。

もちろんそうだね。アーロンが地球を引っぱっても、地球はそれにほとんど気づかないが、地球がアーロンを同じ力で引っぱれば、アーロンはそのことにおおいに気づくだろう。なぜならアーロンは、はるかに質量が少ないのだから。そこでわれわれは、ニュートンの理論がデカルトの理論とくらべて信じがたいが、いかに素晴らしいものかがわかるのだ。

ニュートンの理論によって、われわれは人工衛星が存続するのに必要な速度を計算できるようになった。しかし、ニュートンを理解するためには、われわれは質量と力に関する多くの事柄についても理解しなければならないが、こうした事柄は難しく、しかも混乱しているのだ。王立協会の会員(ニュートンも会員だった)は、理論が明晰判明であることを望み、またすべての理論は大量の観察された事実から生まれるべきだと考えていた。

理論と観察

多くの事実を説明する素晴らしい理論を引っさげてニュートンは登場したが、それは当時ではエレガントな理論ではなかったし、事実から生まれたものでもなかった。かわいそうに！ 辛い時期がつづいた。ほら、科学者たちは科学が一つのものになるのを望んでいたのに、当時の科学はまったくちがったものになってしまったからだ。かれらにできることといえばそれは何だっただろうか？

——科学を変えることだ。

科学を変えるのは簡単だと思うかい？ 話してあげるけど、ニュートン自身、ニュートンの理論を気に入ってはいなかった！ かれもまた、それを変えたいと思っていたのだ。

——ニュートンは自分自身の理論を好きじゃなかったってことなの？

そのとおり。かれは自分の理論の中にある力について不満だった。なぜなら、力の代わりにあるべきものは……

――物体がお互いにぶつかり合うことだから。

そう。ニュートンはデカルトの追随者だった。ニュートンは力を好まず、自分の理論をもっとデカルト的なものにしようと望んだのだが、果たせなかった。ではいったい、かれに何ができただろう？　もっと一生懸命に努力することだ。かれはそうした。しかもかれは世界でもっとも賢い人間だった。

しかし、かれは一生懸命に努力したし、かれの追随者たちもさらに努力したけれども、望みを果たすことはできなかった。デカルトがまちがっていたからだ。

そこで、人々はしだいに、互いにぶつかり合う物体というデカルトの理論をあきらめていった。また人々はデカルトの主知主義、すなわち、われわれが何を信じればよいかを自分の精神に語らせるべきだというかれの考えを放棄し、その代わりとして、ニュートンやベーコンにしたがった。科学者は観察に観察を重ねるべきだ、とかれらは主張した。そして、人はニュートンの理論にしたがうべきだ、なぜなら、ニュートンの理論は、これまでの他のどの理論よりも観察に一致しているからだと主張した。

まもなく人々は、ニュートンがまちがいをおかすことなどありえないと信じるようになり、自分たちは、真の科学というものを最終的に知るようになったと信じた。すなわち、科学とは、ニュートンがおこなったようになされるものであって、科学にまちがいはないのだと。

「偉大な理論」は何がすごいの？

ニュートンの理論が興味深いことは言うまでもないのだが、それがいかに重要で、有用なのかということについて話を進めることにしよう。

ニュートンの理論によれば、人工衛星が地球に戻ってくることなく、地球のまわりを円軌道で回るようにするため、人工衛星を横向きに飛ばすのに必要な速度を計算することができる。ロケットの燃料はどのようにしてロケット・エンジンに力を供給するのだろうか？　アーロンは知ってるかな？

——知らない。

じゃあ、教えてあげよう。ロケットの燃料は、すぐに気化してしまうものなのだ。たとえば、液体の酸素と水素をまぜ合わせ、その混合物を熱すると、爆発を起こすだろう。爆発後、水素と酸素はとても熱い水になる。

——それは蒸気なの。

そうだ。そして蒸気は弾性的だ。

——弾性的なの?

そうだ、蒸気はひじょうに弾性的なのだ。液体の水素と酸素をまぜ合わせ、ロケットの噴射口の中で蒸気になるように結合させると、そのロケットから大量の弾性的な蒸気が噴射される。さて、弾性体はぎゅっと圧縮されると、膨張しようとする。ニュートンの作用と反作用の法則とはどんなものだったかな?

——ぼくがおとうさんを押すと、おとうさんもぼくを押すことになる。あるいは、ぼくがおとうさんを引っぱると、おとうさんもぼくを引っぱることになる。

ロケットは蒸気を発生させ、蒸気は膨張しようとする。蒸気が膨張すると、それはある方向に押すことになる。ニュートンの作用と反作用の法則によって、ロケットはその反対方向に押されるのだ。

——わかった! ロケットは、燃料にしろ蒸気にしろ、あるいは出てくるものが何であれ、それとは反対の方向に進むんだ。

われわれは、ロケットの動きをコントロールすることができる。ロケットが上昇しているあいだ、燃料はロケットの底の穴を通って下に出ていく。その穴を横に移動したら、どうなるかな?

――ロケットは方向を変える。なぜなら今度は燃料が横向きに出るので、ロケットはその反対方向の横向きに押されるんだ。

ロケットが明らかに別の方向に押される前には、た、く、さ、ん、の燃料が一方向に押されなければならない。なぜだかわかるかい？

――わかりっこないよ。

そうかな。アーロンにはわかるはずだよ。それは、より重い、もしくは質量の大きい物体のほうがそうでない物体よりも押されにくいというニュートンの力の法則によるのだ。ロケットと燃料では、どちらの質量が大きいと思うかな？

――ロケットだよ。

まさにそのとおり。だから、ロケットを押すためにはたくさんの燃料を燃やさなくてはならない。そこで、もしニュートンの作用と反作用の法則や力の法則を知っていて、さらに燃料の力とロケットの質量について知っていたら、ロケットを上方へ加速させるためにはどのくらいの燃料が必要なのかを計算することができるだろう。

このように、ニュートンの理論は、ロケットの打ち上げに必要な燃料の量を計算するのに役に立つ。同様に、ニュートン理論によって、ロケットを軌道にのせるために横向きに飛ばすのに必要な燃料の量や、あるいは、宇宙飛行士が何度もおこなう軌道修正に必要な燃料の量までも計算することができる。この事例によって、ニュートンの理論が、あらゆる種類の力学的な計算にとっていかに役立つかがおおよそわかるだろう。

ニュートンの理論は、ガリレオの重力理論のどこが正しくて、どこがまちがっているかも説明する。ガリレオが、重力はどこでも同じだと言ったことをアーロンはおぼえているかもしれない。ニュートンは、まったく同じというわけではなく、そのちがいはとても小さいが、注意深い実験によってそのちがいを測ることができると主張した。

ニュートンの理論はまた、惑星が楕円を描いて回っているというケプラーの考えも説明する。ニュートンの逆二乗の重力法則は、なぜ一つの惑星が楕円を描いて太陽のまわりを回るのかを説明してくれる。しかしながら、もし惑星が一つより多く存在したら、惑星は太陽とだけではなく、惑星どうしも相互に作用し合う。そうなると、正確な楕円を描いては回らないだろう。たとえば、木星と土星が互いに近づくと、その二つの惑星はとても強く作用し合うので、木星は楕円を描いては回らない。これが「摂動」とよばれるものだ。

惑星は通常、楕円を描いて回っている。惑星は主として太陽と相互作用しているが、それは太陽が他のどの惑星よりも巨大な質量をもっているからである。しかし、二つの惑星が互いに近づくと、強く作用し合い、楕円軌道からずれてしまうのである。この不規則性はニュートンの時代にも観察されていた。ニュートンはこれらの不規則性を計算し、それを説明した。

――地球も不規則な状態にあるの？

それはとても興味深い質問だね。まず、ニュートンによれば、厳密にいえば、われわれの地球もいつでも不規則な状態にある。なぜならすべての惑星はいつも互いに影響し合っているからだ。しかし、もしそれほど正確を期すのでなければ、遠い惑星との相互作用を無視することもできるだろうし、そうすれば、地球の軌道はほぼ楕円だということになるだろう。しかし、たとえば、地球が火星に近づくと、ほんのすこし余計に不規則になる。だから答えは「イエス」、不規則なのだ。

――それは重大問題なの？

いや、それほどでもない。しかし、もし天文学で正確な予測をしたいのなら、ケプラーの理論よりニュートンの理論のほうが正確だ。天文学上の正確な予測は、カレンダーをつくったり、航海をしたりするために必要だ。またニュートンの理論は、潮の満ち引きの説明もした。

こうして、ご覧のとおり、かれの理論は、非常に大きな成功を収めていた。人々が、大きな最新の望遠鏡を使って、より注意深くより正確に計測し、ニュートンの結果が完全に正確とは言い切れないことがわかるまでの話だが。その一例として、水星の近日点の移動がある。

――ニュートンはまちがっていた。でも惑星についてはかなりうまくいっていた。

ああ、そうだ。かれは衛星だけではなく、他の多くの事柄についてもかなりうまくやっていた。しかし、かれは完全ではなかった。かれの理論はよいものではあったけれども、最良のものではなかった。

——じゃあ、だれの理論が一番いいの？

ほぼ二〇〇〇年という何世代にもわたって、ニュートンの理論が最良のものだった。それは可能なかぎり最良のものではなく、その当時において入手しうる最良のものだった。いまではニュートンよりも優れた人物がいる。

——それはだれ？

アインシュタインだ。いまのわれわれは、ニュートンの理論よりも素晴らしいアインシュタインの理論をもっている。しかし、われわれは、アインシュタインの理論でさえ最良のものだとは思っていない。少なくともアインシュタインはそう考えなかった。

——じゃあ、アインシュタインは、だれの理論がもっとも優れていると考えたの？

かれはどの理論についてもそれが最良だとは思っていなかった。かれは、自分の理論がいまある中でもっともよいとは思っていたが、それで十分だとは思っていなかった。そこでかれは、全生涯をかけて、さらによい理論を開拓しようと努めた。今日の科学者は、どんなによい理論でも、さらにそれよりも優れた理論があるかもしれないと信じている。

——おとうさんはだれの理論が一番だと思っているの？

私は、いまのところもっとも優れているのはアインシュタインの理論だと思っている。しかしおそらくそれは、可能なかぎり最良のものではないだろう。もしかしたら来年、どこかの優秀な科学者がもっと優れた理論を発見するかもしれない。おぼえているかもしれないが、ベーコンは次のように言った。もしわれわれが十分な事実を集めたら、まちがいをおかさないだろう、と。もしわれわれがまちがいなどしなかったら、われわれの理論がまさに最良のものとなるだろう。

しかし、科学者もまたまちがいをおかしうるのだということに同意するならば、われわれの理論が最良のものなのかどうかけっしてわれわれにはわからない。もしそれが最良のものではないなら、明日、もっとよい理論が生まれるかもしれない。

——よりよい理論は明日になるたびに生まれるかもしれない。

さらによい理論がその次の日に生まれるかもしれない。科学の進歩について、いまのわれわれは、このように考えている。たとえどんなにわれわれの理論が今日の時点でよいものであっても、もしわれわれが努力し、しかも幸運なら、われわれは明日にはもっとよい理論をもてるようになるかもしれないと期待する。

——そして、さらによい理論が、あさってには見つかるかもしれないし、このことはずっとつづくんだね。

そうだ、と私は言った。

――でも、もしかすると明日という素晴らしい日に、ぼくたちは可能なかぎり最良の理論を手に入れてしまって、だれもそれ以上優れた理論をつくることができないということもあるかもしれない……。

たしかにそうだね。毎日よりよい理論が見つかるなどという保証はない。われわれがもっている理論が絶対的な真理である場合にはとくにそうだ。その場合には、進歩は止まってしまうだろう。しかしわれわれはそんなことを心配しない。なぜなら、いまなおわれわれはたくさんの問題を抱えているし、できるかぎり多くの答えを見つけようと努力したり、その答えを改善しようと努力しているからだ。

――どうやってそれが本当に進歩だとわかるの？

それはいい質問だ、と私は言った。

――自分でも答えられると思うよ。ぼくたちにはわからないって！

素晴らしい。でもそれがすべてではない。まったく知っているわけではないとしても、われわれは進歩についていくらかの考えをもっている。たとえば、われわれは、アインシュタインの理論がニュートンの理論よりも優れていることを知っている。最良の望遠鏡と細心の観察によって、人々はニュートン理論にもとづく予測のいくつかが真ではないことを発見したと話したよね。

これらの観察はアインシュタインの理論によって説明されている。アインシュタインは、ニュートンのおかしたまちがいはしなかった。別の言い方をすると、もしわれわれが進歩を望むのであれば、自分の理論をとても注意深くテストして、そこからまちがいをとり除かなくてはならないのだ。

——アインシュタインの理論も含めて、これまでにあるすべての理論から一つの大きな理論をつくることはできるの？

いや、それはできない。なぜなら、アインシュタインの理論とニュートンの理論は、ちょうどニュートンの理論とガリレオの理論が互いに矛盾しているのと同様に、互いに矛盾しているからだ。

ガリレオの理論は、重力がどこでも同じだと主張する。ニュートンは、この主張がまったく正しいわけではないことを指摘した。重力は、地球から離れるにつれて、減少するからだ。ニュートンの理論では、重力は遠く離れたところに作用する（遠隔作用）。アインシュタインは、これはまったく正しくなく、重力は物体から外に向かって光速で進み直接作用するのだ（近接作用）と主張した。

われわれは、ガリレオの理論やケプラーの理論がニュートンの理論の近似だとか、ニュートンの理論がアインシュタインの理論の近似だということができる。つまり、ニュートンの理論から得られる結果は、通常の条件下では、アインシュタインの理論から得られる結果とほぼ同じである。また、ガリレオの理論も、通常の条件下では、ニュートンの理論から得られる結果とほぼ同じ結果をあたえる。

しかし、宇宙飛行士にとっては、ニュートンの理論が通用し、ガリレオの理論では通用しないものがある。また高速ロケットに関しては、ニュートンの理論はまったく通用せず、アインシュタインの理論が優れている。

すべての古い理論は、新しい理論に近似している。中世の人々は、惑星が円を描いているようには見えないことを知っていたが、本当は円を描いて動いているのだと、それでも信じていた。このちがいはわずかなもので、たいした問題ではない、とかれらは言った。あちこちをちょっといじくれば修正できるのだと。

ケプラーは、可能なかぎり完全な円を計算し、その円が観察と完全に一致するわけではないことに気づいたとき、次のように言った。結果はどんなに近似していても、十分ではない。私は、自分の結果を完璧で、絶対に真なるものにしたい。近似はよいものではあるが、不十分であり、まだ進歩の余地があるのだと。

理論は、それがよい近似であれば、依然として役に立つ。ニュートンの理論は、よい近似であり、したがって、実用的な目的のためにはとても有用である。計算された結果と実際に観察された結果とのあいだのちがいはほんのわずかなので、問題にならない。だからわれわれはいまでもニュートンの理論を使っている。たとえば、ロケットや衛星の動きを計算するために。

しかし科学は、実用的な問題だけに関心をもっているわけではない。科学者たちは、たとえ実用的な問題においてはまったく異なるところがないとしても、真理を発見したいと望むのだ。だからガリレオの理論、ケプラーの理論、ニュートンの理論に対してもそのような態度をとる。これらの理論は実用的な目的のために応用科学者やエンジニアによっていまでも利用されてはいるが、理論科学者は、もはやそれらの理論を信じていないのだ。

――ニュートンとアインシュタインのあいだにある科学の話をつづけようよ。

いいね、と私は言った。人々がどのようにしてニュートン主義に不満を抱くようになったのか、どうやってかれらが新しいアイデアを開発し、それがアインシュタインのより素晴らしい理論の発見につながっていったのかを見ていくことにしよう。そこでわれわれは、あれこれの理由で、ニュートンのアイデアを好まず、かれとは異なるアイデアを開発した思想家たちの話をすることにしよう。

第3章

大発見はどうやって生まれる？

アイデアで世界を動かすには

I

すべては仮説からはじまる

奇妙に思えるかもしれないが、科学において、とくに新しいアイデアを探している場合には、誰が見ても一目瞭然というような、シンプルで直感的な語り口を求めることはほとんど不可能だ。

いま、われわれはこのことを承知している。一七世紀のころだったら、科学者の話が複雑でわかりにくくなると、人々はすぐに腹を立てたがね。たとえば、二〇世紀におけるもっとも重要な原子物理学者の一人で、アインシュタインの親友でもあったデンマークの科学者、**ニールス・ボーア**（一八八五〜一九六二）。ボーアを理解するのはひどく難しかった。というのは、かれは並外れた、新しいアイデアにとり組んでいたからだ。しかし、だれもニールス・ボーアに対して怒りを示さなかった。

近年、とくに優れた科学者たちはあまり独断的ではなくなってきていて、研究の進展に応じて自分たちの見解を変える用意もあるし、科学の理論が「仮説」であることを積極的に認めるようになってきている。

――仮説って?

「仮説」というのは「推測」のことだ。そして、もし科学者が推測するのだとしたら、かれらはまちがいをおかしうるね、そうだろう?

――そうだね。

二〇世紀のはじめ、一九〇二年に**アンリ・ポアンカレ**(一八五四~一九一二)というフランスのひじょうに重要な数学者が、『科学と仮説』という本を書いた。かれは、科学におけるすべての知識が推測の産物であるという事実を強調したかったのだ。

ポアンカレは、仮説の中には危険なものもあると言った。「とりわけ危険なものは、暗黙で無意識のものである。われわれは知らず知らずのうちにそれを用いているので、それから免れることはできない」と。かれはわれわれに、自分自身に確信をもちすぎないようにと警告した。

エルンスト・マッハ(一八三八~一九一六)は、一九世紀の重要な科学者であるが、力学の歴史の本を書き、そこでニュートンの理論を批判した。アインシュタインは、この本を読み、「科学に〝完全〟という言葉はない」というその本のテーマに感銘を受けた。科学に対するこのような態度の変化と、ニュートン力学が完全ではないと悟ったことが、若きアインシュタインにとってはとても重要だった。そんな若いころ、わずか二十四、五歳だったかれが、最初の理論を発表したのだ。アインシュタインがマッハの本によって、開かれた精神をもつように励まされたのはとても意義深いことだった。

ライプニッツの批判が認められなかったワケ

さて、科学における開かれた精神はニュートンの時代から少しずつ発達してきたが、それは、ニュートンの同時代における最大の論敵であった**ゴットフリート・ヴィルヘルム・ライプニッツ**（一六四六〜一七一六）による「批判」の影響によるものだった。人々は、ライプニッツを科学的ではないと感じ、かれの主張を聞こうとはしなかった。さらに、人々はニュートン主義に対する批判はどんなものでも聞きたがらなかった。

科学者たちはニュートンの理論を教義として独断的に受け入れたが、これは皮肉なことである。というのは、科学と独断主義は実際のところ正反対のものだからだ。ライプニッツと追随者たちの仕事のおかげで、人々はついに、ニュートンの理論が可能なかぎり最良の理論ではないという考えを認めた。

ライプニッツの重要性は、アインシュタイン以後になるまで十分には認識されなかった。アインシュタインでさえ、初めはかれを正しく理解していなかった。晩年、科学史を研究するようになってようやく、アインシュタインは、自分がライプニッツ的な考えに向かう傾向にあることを理解した。

ライプニッツは、ニュートンの「遠隔作用」を批判していたが、かれはまた、デカルトにも同意しなかった。ルネサンス末期からアインシュタインの時代にいたるまで、物理学の歴史は、デカルトを支持する者と、ニュートンを支持する者、そして、ほんのひと握りのライプニッツを支持する者とのあいだでの議論のように見えてくる。

ニュートン主義に対する不満がどのようにして募っていったのかを話すことにするが、このためには、デカルトにまでさかのぼらなければならない。デカルトは、二つの物体が互いに近づくとき、それらが相互に貫通することはできず、その代わり、互いに押しのけ合うのだ、と信じた。

――うん、ぼくはおぼえてるよ。

さて、ライプニッツにはこのことが理解できなかった。相互に貫通する二つの物体について考えることはどうしてできないのか、とかれは問うた。二つのビリヤードの球が互いに近づいたかと思ったら、壁を通り抜ける影か霊のようにその二つの球がお互いにすり抜けてしまうというようなことを想像してみよう。想像できるかい。

――できないよ。だってそんなことは起こりっこないんだから。二つのビリヤードの球がお互いをすり抜けることなどできないよ。

幽霊がドアをすり抜けるように、二つの球がお互いに通り抜けることはありうる。そのようなことが起きないのは知っているが、ライプニッツは、起きると想像することはできると言った。ドアをすり抜ける幽霊は想像できるだろう?

――ぼくは幽霊なんか信じてないよ!

でも、たとえアーロンが幽霊を信じていないとしても、幽霊を想像することはできる。そうだろう?

――そうだけど、でも、どうして幽霊を想像しなくちゃいけないの?

ライプニッツだって、幽霊を想像したかったわけではない。でもライプニッツは、もしデカルトが正しくて、幽霊が存在しないということがはっきりしているならば、われわれは幽霊を想像することすらできないはずだと推論した。もし、われわれが幽霊を想像することができるのであれば、なぜ物体が幽霊のようなものではないのかを説明しなくてはならない。わかるだろう？

——**わかるよ。**

だからライプニッツは、物体が幽霊のようなものでないのは、ただ物体が空間の一部を占めているからというだけではなく、物体はお互いを寄せつけない力で満たされているからだ、と説明した。このような力は離れているとはたらかないから、ニュートンの力とは別のものだ。

ライプニッツのいう「力」とは、物体と物体が十分に近づいたとき、物体がお互いに貫通することを妨げる力のことだ。言いかえれば、これらの力はそれぞれの物体に固有の境界を保持する力である。たとえば、ナイフが突き刺さるのを防ぐ皮膚の力のことだ。そしてそれは、皮膚がナイフに入り込むのを防ぐナイフの力でもあるのだ。

さて、デカルトもまた、デモクリトスとプラトンの二人に由来するもう一つのとても重要な考えを信じていた。デカルトは、空間は基体であり、その中で物体が動き回ると考えた。アーロンは基体の理論をおぼえているかい？

——**おぼえているよ。**

真に存在するものだけが基体ないし実体とよばれる。デモクリトスは二つのものがあると主張した。いろいろな形をした原子と空虚な空間だ。プラトンは、質料で満たされた空間と、事物を事物にするための形相（shape）が存在すると主張した。たとえば、ボールの形相というのは、ボールを真のボール（球形）にするためのものだ。だから、デモクリトスとプラトンにとって、空間と形相が真に物理学をつくり上げるものであった。

プラトンは、物理的な科学全体を幾何学的な科学の一部にしようと試みた。デカルトは自分の科学的な理論を厳密で証明可能なものにしたかったので、とくにこの点でプラトンにしたがった。幾何学では証明が可能なので、デカルトは、物理学を幾何学の一部にしたかったのだ。

さてライプニッツは、事物は単なる形相ではなく、形相と力だと信じた。したがって、この物質理論は、単なる空間理論だけにもとづかせることはできない。「空間に関するもの」と「物質に関するもの」という二つの仮説が残ることになるだろう。これは簡単な話ではない。

そこでライプニッツはとてつもなく奇妙な考えを抱いた。もし、空間理論によって物質を説明できないのであれば、ひょっとすると空間を物質理論によって説明できるかもしれない。言いかえると、空間は実在のものではなく、物質の存在の結果にすぎないということになる。

もしアーロンが物体間の関係について、たとえば、どの物体が別の物体の右にあるのかとか、近くにあるのかなどということについて知れば、そのときには、空間が何であるのかについてもわかることになってしまう。これは奇妙な考えではないかな？

――そうだね。外の空間はどうなるの？

ライプニッツにとっては、デカルトにとってのような外の空間はなかった。外の空間についてデカルトが何と言ったかおぼえているかい?

――おぼえているよ。外の空間は、渦の中を動くエーテルの粒子でできているんだ。

ライプニッツの理論は渦を必要としなかった。ライプニッツは、エーテルの粒子はすべての粒子を構成するものでできていると主張した。すなわち……

――力だ! いまでは、物体は力でできていると考えているんじゃないの?

難しいところだ。最近では、われわれはアインシュタインが受け入れたほどには、ライプニッツの考えを受け入れていない。しかし、われわれはライプニッツの考えがとてもよいものだとは思っている。タレスが「万物は水である」と信じていたことをおぼえているかい?

――うん。

また他のギリシャ人たちはそれぞれ、事物はさまざまな実体でできていると主張した。そしてピタゴラスは、万物は……

――数でできていると言った。

そして、プラトンの場合は、事物は……

――形相でできていると言った。デカルトもそうだった。

そしてライプニッツの場合は、事物は……

――力でできていると言った。

そのとおり。すると、とてもおかしなことになる。アーロンは、自分には筋肉があって、その筋肉には力があることを知っているだろう？

——うん、知ってるよ。

ところがライプニッツは、筋肉に力があるのではなくて、筋肉が力であると言ったんだ。

——そんなの理解できないよ。

まさにそうだ。それはとても難しい考えなのだ。ライプニッツによれば、人は筋肉と力の両方をもっているのではなくて、ただ力だけをもっており、その力が筋肉とよばれているのだと言うほうがふさわしい。ライプニッツの世界は、互いに作用し合う力の世界、相互作用する力の世界だ。

ライプニッツとニュートンの「代理戦争」

さて、ライプニッツには力の理論があり、ニュートンにも力の理論があるのだから、ライプニッツはニュートンに賛成したとアーロンは思うだろう。ところが、賛成しなかったのだ。

——どうしてなの？

ライプニッツの力は接触によって作用し、またかれの空間は力で満たされているからだ。ニュートンのそれは空虚な空間と重力で、しかもかれは重力を離れたところに作用する力として記述している。そして、ニュートンはひじょうに成功した。すでに話したとおり、ニュートンの理論から人々が引き出したあらゆる予測が何世代ものあいだ、真だと見なされてきた。

ライプニッツは、予測を引き出すことのできる理論をもち合わせていなかった。かれはまた気むずかしい人でもあった。かれはニュートンの理論が気に入らず、イギリスの王妃宛に、ニュートンに対する不満の手紙を書いた。これはあまりほめられたことではないよね？ 多くの人が、このライプニッツの行為に怒りを示した。というのは、科学には言論の完全な自由がなければならないからだ。

ライプニッツがイギリス王妃に手紙を書いたことはもちろん、よいことではなかった。ライプニッツはニュートンやニュートンの科学上の友人に書くことができたはずだ。しかし、不幸なことに、ニュートンもあまりいい人柄ではなかった。人々がニュートンと議論しようとしたとき、ニュートンはひどく怒ったり、動揺したり、傷ついたりした。ニュートンに対する批判がなされるたびに、かれは科学界から遠ざかっていった。ライプニッツが王妃に送った手紙についてニュートンが耳にしたとき、かれがどのように感じたか、アーロンは想像できるだろう？

しかし、われわれにとって幸運なことに、ニュートンは、友人のサミュエル・クラーク博士に頼んで、ライプニッツに答えてもらうようにした。ニュートンはクラークに、書く内容をいちいち指図してライプニッツに対する手紙を書かせたのではないかと疑う者すらいる。ライプニッツは議論好きで、死ぬまでクラークと論争しつづけた。

こうして、ライプニッツとクラークの往復書簡という、あらゆる時代を通じてもっとも有名な書簡の一つが生まれた。それをクラークはライプニッツの死後まもなく出版した。この往復書簡によってニュートンが正しく、ライプニッツがまちがっていることが証明された、とクラークは考えたのだ。幸運にも、すべての人がそう確信したわけではなかった。

だがライプニッツは、ニュートンほど成功しなかった。このため彼は、自分が反対している理論と同程度に優れた空間理論を展開しなければならなかった。ライプニッツが異をとなえた理論は、紀元前三〇〇年ごろ、プラトンの追随者、**ユークリッド**（前三三〇？～前二六〇？）によって展開されたものだった。今でも「ユークリッド幾何学」として知られている。

そんなわけで、長年にわたって、ライプニッツの理論は忘れ去られていた。時折、ユークリッド幾何学について頭を悩ます人もいないわけではなかったが、何千年ものあいだ、人々はユークリッド幾何学の理論を受け入れ、これこそが幾何学の究極のものだと信じてきた。

しかしながら、ライプニッツ以後、哲学者と科学者の中には、幾何学について異なった考えを発達させようと試みる者が出てきた。この中の一人が一八世紀の偉大な哲学者、**イマヌエル・カント**（一七二四～一八〇四）だった。カントは非ユークリッド幾何学を築きあげようと懸命に試みたが、成功しなかった。そこでカントは、ユークリッド幾何学以外のものを発明することは不可能であり、空間についてユークリッドが考えたのと同じやり方で考えるように人間の精神を神は創造したのだという結論に達した。

しかし、カントはライプニッツの考えのいくつかを支持した。とくに、カントは、空間を動き回りかつ無限に硬いというニュートンの粒子を受け入れなかった。カントは、弾性体を説明するために、粒子は実際に力で満たされているというライプニッツの考えを採用した。ニュートンの理論では、弾性体を理解するのは難しい。ニュートンは、原子は完全に硬いと主張した。それでは、もし二つの原子が衝突したらどうなるかな？

――二つの原子は割れて、たくさん原子的な影響をおよぼすんだ。

いや、違う。ニュートンによると、原子は分割できない。原子はお互いにうち砕くことはけっしてない。ほら、これもニュートンのおかしたまちがいの一つだ。ニュートンは、原子は破壊できないと考えた。そうだとすると、二つの無限に硬い原子がお互いに衝突すると、何が起きるかな？

——原子がお互いにはね返ること以外は何も起こらない。

原子は互いにはね返るにちがいない。なぜなら原子はお互いを貫通することができないからだ。そうだろう？

——そうだね。

それでは、もし原子が互いにはね返るのなら、原子は瞬間的に方向を変える。瞬間的に方向を変えるということは無限に大きな加速があることを意味する。アーロンは、加速度が大きくなればなるほど、それを引き起こすために必要な力も大きくなるということをおぼえているだろう。もし加速度が無限ならば、力も無限でなければならないが、無限の力は不可能だ！

カントは次のように推論した。それならば原子が無限に硬いことはありえない。原子は弾性的であるにちがいない。そして、原子が弾性的であるためには、反発力で満たされた空間が存在するにちがいないと。

ほぼ同じ時代に、**ルッジェーロ・ジュゼッペ・ボスコヴィッチ**（一七一一〜一七八七）という名の人物がいた。一八世紀のイエズス会修道士のかれは、カントとほとんど同じくらい賢かった。ボスコヴィッチもまた、原子が瞬間的に互いにはね返ることはできないから、原子は無限に硬いわけではないということに気づいた。

そこでかれは、原子は遠く離れているときには重力によってお互いに引きつけ合うけれども、いっしょに近づくと互いに反発し合うと考えた。原子は近づけば近づくほど互いに反発し合うので、原子が接触することはありえない。原子間にはつねに距離があるにちがいない。このようなわけで、原子が複数あれば空間の一部を占めるのだ、とボスコヴィッチは主張した。

ボスコヴィッチはまた、原子は必ずしも大きさをもつ必要はないとも言った。かれは、原子がお互いに近づきすぎるのを防ぐ反発力をもつ点のようなものだと考えた。原子は互いに離れていなければならないので、原子の一つひとつは無限に小さいとしても、原子が集合したものは大きな事物のように見える。

ボスコヴィッチの理論によると、世界は点のような原子を含む本当の空間でできており、個々の粒子には「引力」と「反発力」という二つの力が存在するという。引力は重力のようなもので、反発力は粒子を互いに離れたままにしておくものだが、さらにおそらくその中間的な他の力もあるかもしれないという。

カントとボスコヴィッチの二人は、ニュートンとライプニッツの折衷のような理論をもっていた。こうしてライプニッツが徐々に物理学の中に入ってきたのだ。

世紀をまたぐ論争のゆくえ

ニュートン理論の難点の一つについては、すでに話をしたね。ニュートンにしたがうと、原子は無限に硬いので、原子どうしが衝突すると無限の力が生まれることになる。カントとボスコヴィッチの二人は、ニュートンの理論は無限に硬い原子を本当は必要としないということを理解した（ニュートンはただデカルトからその考えを借りてきただけであった）。

さて、ライプニッツは、力が基体であると信じた。力は実在するものであり、それゆえ、力を破壊することはできないと。かれは「力」によって、われわれが「運動の量（quantity of motion）」あるいは「エネルギー」として理解しているものを表そうとしていた。

デカルトはそれ以前に、世界における運動の総量は破壊されえないと述べていた。もし、ビリヤードのボールが何かにぶつかったら、そのボールは違う方向へ動く。ボールは動きつづけなければならない。もし、それが止まったら、他の何かが動きつづけなければならない。運動の量は、神が世界を創造した瞬間から同じままであるにちがいない。

ニュートンはこの考えを好まなかった。ニュートンは、二つのビリヤードのボールが互いに正面衝突したら、両方とも止まるだろうと言った。そしてデカルトの追随者たちは、その場合には、ボールの内側の原子がもっと早く動き出すのだと言った。なぜなら何かが動くのをやめたら、他の何かが動かなければならないからだと。

ニュートンはそれを信じなかった。そしてかれは、天体が同じエネルギーで、同じ運動の量で動きつづけるという理論を望まなかった。実際、ニュートンは、太陽系の運動の量とエネルギーは減少していると信じていた。かれは、ときどき神が太陽系に少しずつエネルギーを注入しなければならないと考えていたのだ！

——それはぼくたちが車に燃料を入れるやり方と同じだね。

そのとおり。ライプニッツはこの考えがまったく気に入らなかった。かれは、太陽系が神によって創られた完璧な時計であると主張した。ときどき修理しなければならないような時計を作るのはいったいどんな類の時計屋だというのか、とライプニッツは尋ねた。ニュートンとかれの追随者たちはこの問いに困惑した。

しかし、一〇〇年もたたないうちに、ニュートンの二人の偉大な追随者で、フランス人数学者の、**ジョセフ゠ルイ・ラグランジュ**（一七三六〜一八一三）と**ピエール゠シモン・ラプラス**（一七四九〜一八二七）は、ニュートンが計算まちがいをしていたことを明らかにした。ラグランジュとラプラスの二人は、ニュートンの体系において運動の量とエネルギーは同じままであることを証明した。こうして、ライプニッツの体系におけるもっとも重要な点の一つが、結局、ニュートンの体系の一部であることがわかったのだ。

科学がいかに奇妙であるか、ニュートンは、科学者は自分の理論すらあまりよく理解していないことが、ここでもわかるだろう。ニュートンは、自分の理論にライプニッツ的な側面があるのを知らなかった。ライプニッツでさえも知らなかった。ニュートンの（太陽系という）時計が完璧なことが判明すると、人々はライプニッツのことを率先して忘れようとした。

もしニュートンの体系にこれ以上の難点がなかったとしたら、この物語はこれでおしまいだっただろう。

ニュートン理論にも限界があった？

――「これ以上の難点」というのはいったい何？

それは、さまざまな力のあいだの関係に関わるものだ。ここで、われわれは重力とは別の力に関するとても興味深い研究に向かうことになる。アーロンはこのような力を知っているかい？

——**うん。磁石の力と電気の力があるよ。**

さらにもっとある。デカルトに戻ってみよう。デカルトは、すべての作用は「押すこと」であると主張した。われわれが何かを引っぱるとき、実際には押しているのだと。われわれが壺の取っ手をもって引き上げる場合、実際には取っ手を押し上げているのだと。

しかし、ニュートンによると、われわれが取っ手を押し上げるとき、それはあたかも壺全体を押し上げているように見えるだけであり、実際はそうではないという。もし壺がとても重たかったら、どうなるかわかるかい？

——**うん。取っ手が壊れちゃうよ。**

そうだ。取っ手を引き上げたとき、実際は取っ手を押し上げているが、と同時に、取っ手は実際に壺を引っぱってもいるのだ。取っ手が壊れないかぎりだが。取っ手を壺にくっつけているこの力は接着剤のような力だ、とニュートンは言った（実際に、もし取っ手がとれたら、接着剤でつけ直せる!）。この力は「粘着力（the force of cohesion）」とよばれている。

他の力を考えてみよう。付着の力（the force of adhesion）だ。

——**「付着」って何？**

水の中に手を入れて、その水から手を引き出したとき、手には水がついている。手が濡れているると言うだろう。水銀の中に手を入れると、手は濡れるだろうか？

——わからないよ。

濡れないのだ。

——どうして？

水銀の原子と手の原子を結びつける力がないからだ。しかし、水の原子と手の原子を結びつける力はある。

アーロンは、グラスが濡れることも知っているね。ということは、水とグラスのあいだにも力があるということだ。このような力があることを見ることもできる。もし、水の入ったグラスのてっぺんの縁を注意深く観察すれば、グラスに接して小さく盛り上がったところが見えるだろう。ここがグラスによって水が引っぱられたところだ。とても狭いガラスの管、「毛細管（capillary tube）」では、水は実際に管の中で上昇する。そして、管が狭ければ狭いほど水は高く上がる。この力は「毛細の力」とよばれる（用語に含まれる「カピラ（capilla）」というのは、ラテン語で「髪の毛」という意味だ）。

この力は、植物にとって、とても大切なものだ。なぜなら植物は水が必要だからだ。植物の根元にまいた水は、植物のてっぺんにまでいかなければならない。さもないと、てっぺんは死んでしまうだろう。水は毛細の力によって植物の中を通って引き上げられる。

その他にも、電気の力があるとニュートンは言った。動物は電気力が原因で動いているのだろうと。

——それは本当なの？

われわれが知っているかぎりにおいては本当だよ。しかし、ニュートンがこれを思いついたのは信じられないことだ。かれは電気についてほとんど何も知らなかったのだから。ニュートンの時代には、科学者は、電気についてただ一つのことしか知らなかった。すなわち、琥珀のような素材をこすると、わらなどの軽いもののほんの小さな破片を引きつけるということだ（ところで、「琥珀」にあたるギリシャ語は「エレクトロン（elektron）」で、そこから「電子（electron）」や「電気（electricity）」という言葉が生まれた）。

髪の毛を櫛でとかすと、髪の毛はときどき直立したり、ぱちぱち音が出たりもする。これは摩擦電気（静電気）とよばれていて、タレスの時代のようなずっと昔から知られていた。

タレスの時代から一八世紀まで、それ以上のことを人々は知らなかった。かれらは、ガラスを皮革でこすって電気を得ることはできたが、それを使って何をしたらよいかは、わからなかった。

一七世紀が始まろうとする一六〇〇年に、**ウィリアム・ギルバート**（一五四四〜一六〇三）

というイギリス人の科学者が、磁石についての重要な本を出版した。かれは、鉄だけが磁石になることができ、琥珀のような特定の素材だけが電気を帯びることができるという奇妙な事実を指摘した。言いかえると、電気的な素材と磁気的な素材があるようだということだ。

その後一世紀以上経過しても、ほとんど何も生まれなかった。**スティーヴン・グレイ**（一六六六〜一七三六）という偉大な科学者は、金属もまた電気を帯びることを発見したが、その電気は、帯電体を手袋でつかんでいないかぎり消えてしまうというものであった。こうして、グレイは、金属が電気の伝導体であるのを発見した。一八世紀の初めに、かれはこの発見を公表したが、それ以後、事態は急速に動き始めた。

ひとたび伝導体が発見されると、検電器とよばれる器具を改良していくことができるようになった。検電器は現在では金属棒でできているが、それには吊り下げられた二つの金片がついている。電気が金属棒に伝導されればされるほど、二つの金片はますます離れていく。

この改良された検電器を使って、フランス国王のチーフ庭師だった**シャルル・フランソワ・デュ・フェ**（一六九八〜一七三九）は、その世紀でもっとも偉大な発見をした。「正」と「負」という二種類の電気があるということだ。正の電気と正の電気は反発し合い、負の電気と負の電気も反発し合う。しかし正と負の電気は互いに引き寄せ合う。したがって、同じ種類の電気が、帯電した検電器に加えられたら、金片の距離はさらに広がる。しかし、加えられた電気が反対の種類だったら、二つの金片はぴったりくっつくのだ！

さてここには、とても興味深い状況がある。電気と磁気とのあいだの類似性だ。アーロンは磁石のN極とS極をおぼえているかい。N極とN極は反発し合い、S極とS極も反発するが、N極とS極は互いに引き寄せ合う。実際には、電気と磁気とのあいだには大きなちがいもある。正の電気だけを帯びたり、また負の電気だけを帯びたりする二つの金属棒を得ることができるが、しかしN極だけとか、S極だけとかをもつ磁石を得ることはできない。もし磁石を半分に割ったら、どうなるか知ってるかい？

――二つの磁石を手にすることになるんだ。

どうやってそれを知ったのかな？

――あてずっぽうだよ。

それがあたっているんだ！　二つの小さい磁石をもつことになるのだ。磁石をどんなに小さく砕いていっても、その小さな破片はN極とS極をまだもっている。だから大きな磁石は、じつは、たくさんの小さな磁石をいっしょにまとめたようなものなのだ。

――もしひじょうに小さな磁石のかけらを手にすることができるとしたら、磁石の原子も手に入れることができるはずだよね。

必ずしもそうだとはかぎらない。もっとも小さいかけらでさえN極だけ、S極だけではなく、N極とS極の両方があるのだ。その当時、人々は、磁石は二つの磁石の原子からできていて、そのN極の原子とS極の原子がくっついているのだと言っていた。われわれは、二つ以上の原子が結合しているものを「分子」とよんでいる。一つの酸素原子と二つの水素原子がくっついて水の分子をつくり出す。一七世紀の人々は、可能なかぎり最小の磁石片は、二つの原子——一つはN極でもう一つはS極——でつくられた分子であると考えていた。

かれらは電気についても同じように考えていた。電気的物質は二種類あって、他の電気的物質によって引き寄せられるか、あるいは反発し合うか、だと。磁気的物質のほうも、他の磁気的物質によって反発し合う物質と引き寄せられる物質が存在する。

この考えは一八世紀のフランスにおけるとても重要な技術者、**シャルル・ド・クーロン**（一七三六〜一八〇六）の理論であった。クーロンは電気と磁気における「ニュートン的存在」であった。なぜならかれは電気の力と磁気の力を計り、それらがまさしく重力の力と同様のものであることを示したからだ。その力は距離の逆二乗に比例して変化するのだ。

しかしクーロンの理論には、ここで指摘しておきたい重大な難点がある。難点の一つは、正の電気の原子と負の電気の原子とを分離できるようには、N極の磁気の原子をS極の磁気の原子から分離することがなぜできないのかということだ。クーロンはこの問いに答えることはできなかった。

ニュートンは、ふつうの物質はさまざまな力を受けていると言った。しかしニュートンの追随者たちは、ふつうの物質についてだけでなく、電気的な物質や磁気的な物質についても語ったのだが、これらの物質はふつうの物質とは異なると考えられた。この点がとても重要なことなのだ。

なぜクーロンやその他のニュートン主義者たちは、電気力はふつうの物質にではなく、特別な電気的な物質に関係すると言ったのだろうか？　なぜかれらは、電気力がふつうの物質の原子によって生み出されるとは考えなかったのだろうか？　かれらの推論を説明することにしよう。ふつうの物質の原子はどんな力をおよぼすのだったかな？

——**重力**。

そのとおり。さて、もしふつうの物質の原子もまた電気力をおよぼすとしたら、ふつうの物質の原子は二つの力と相互作用していることになるだろう。それは「重力の力」と「電気の力」だ。すると、すべての物質の中やそのまわりには、より多くの力が存在することになるだろう。ニュートン主義者たちは、電気の力はすべてのまわりにはなく、ある特定の電気的な素材だけにあるのを観察した。

それでは、電気的な素材とは何か？　それらはどこで電気力を入手したのか？　ニュートンにとって、力は原子に属している。もし電気のような力がふつうの物質の原子にないのであれば、そのような力は特別な種類の原子に属しているにちがいない。このような特殊な原子のことを……

――電気の原子という!

まさにそのとおり! しかし、これにもおかしなことがある。ほら、すべての鉄は磁石の原子を含んでいる。すべての鉄が磁石になりうるからだ。さて、もし磁石の原子が鉄の原子とまったく異なるものだったら、すべての鉄片が磁石の原子をもつのはなぜだろうか? 同じ疑問は電気にもあてはまる。ある種のふつうの物質がつねに電気的または磁気的物質と結びついているのはどうしてなのか?

さらに重要な問いが存在する。あまりに難問すぎてニュートン主義者にはまったく答えられなかったものだ。これがおそらく、ニュートン主義の限界点だった。

もし電気的物質がふつうの物質片にくっつき、さらにこの電気的物質が他のところにある電気的物質片に引き寄せられるとしたら、その電気的物質はふつうの物質から離れて、他の電気的物質片に飛び移るだろう。これはときどき起きることである。たとえば、電気がある場所から別の場所に飛び出すような場合だ。

――電気の火花を見るようなときのことを言ってるの?

そのとおり。問題は、もし電気的な物質がどこか他の場所に引き寄せられているのであれば、なぜ電気的な物質はそれがくっついていたふつうの物質にずっとくっついていようとするのだろうか？　引き寄せられる場所に火花を飛ばして移動するように、たえず離れようとしないのはなぜなのだろうか？

――**そんなこと一度も考えたことがないよ。**

この問いを発した人々は、偉大な科学者たちだった。そして、この問いを何度も何度も問い返したもっとも偉大な人物が、**ハンス・クリスティアン・エルステッド**（一七七七〜一八五一）というデンマークの科学者だった。エルステッドは一八〇〇年になる少し前にかれの研究を完成させたが、二〇年ものあいだ、同じ問題にとり組み、さらにはその問題に対するかれ自身の途方もない答えにたどりついた。

他の人々は、電気的な物質とふつうの物質をいっしょに保ちつづける引力のようなものが存在するにちがいないと想定した。しかしエルステッドは、これは不可能だと主張した。

いまここに一つの電気の原子と一つのふつうの原子があると仮定し、それらが互いに引きつけ合っていると仮定しよう。もしわれわれがそこにもう一つのふつうの原子をもってきたら、それは重力によってふつうの原子に引きつけられるばかりではなく、電気の力によって電気の原子にも引きつけられる。つまり、それぞれのふつうの原子が電気の原子に引きつけられていることになる。したがって、この二つのふつうの原子は、電気の原子を通じても、互いに引きつけられるのだ。

これは奇妙に思われた。エルステッドはとても当惑し、理論に何らかの変更を加えるべきだと考えた。各種の力に応じてさまざまな種類の物質を導入し、その次に各種の物質が多くの異なった種類の力によって相互作用するのを発見していくことは、かれには馬鹿げたことであった。もし事物が相互作用しないのであれば、まったく別々の世界が存在することになる。もしそれらが相互作用するのであれば、あまりにも多様な相互作用が存在するという「混乱」が生まれることになる。

異なった種類の電気が発見されたことで、事態はますます複雑になった。これはすべて、ニュートンが動物は電気の力で動いていると言ったときから始まっていたのだ。二枚の金属片の一つを正の電気に、もう一つを負の電気にし、それらを舐めると、舌の神経にとても奇妙な感覚を感じることは、ニュートンの時代には発見されていた。これが、後に「動物電気」とよばれるものの始まりだった。

この動物電気が、イタリアの偉大な科学者、**ルイージ・ガルヴァーニ**（一七三七〜一七九八）によって一七八六年に本当に発見されたのだ。かれは死んだ蛙の足を、正と負に帯電した二つの金属片（銅と亜鉛とか銅と銀）で触った。何が起きたかわかるかな？

――わからないよ。

蛙は死んでいるのに、その足は飛び跳ねたのだ！

——飛び跳ねた？

そうだ。これは、電気がおそらく生命と同じものだということを示した。死んだ蛙の足を帯電した金属で触ることによって動かすことができたのだ。同時代のもう一人のイタリア人科学者、**アレッサンドロ・ボルタ**（一七四五〜一八二七）は、この実験は馬鹿げていると考えた。かれは、その実験は実際には蛙とはまったく無関係で、二つの異なった金属にだけ関係があると信じた。これを証明するために、かれは二種類の金属片を酸の中に離して置き、電気をつくった。

この装置が今日、「ボルタ電池」とよばれているものだ。懐中電灯の中の電池はある種のボルタ電池だ。ボルタ電池に関してさらに研究が進められると、とても奇妙なことが発見された。多くの人々が、二つの金属片のあいだになぜ酸がなければならないのかと不思議に思った。ボルタは、金属間の接触をよくするのに酸が必要だと考えた。

しかし、一八〇〇年に、二人のイギリスの科学者、**ウィリアム・ニコルソン**（一七五三〜一八一五）と**アンソニー・カーライル**（一七六八〜一八四〇）は、酸の中の水分が分解するのを示した。

——水素と酸素の原子？

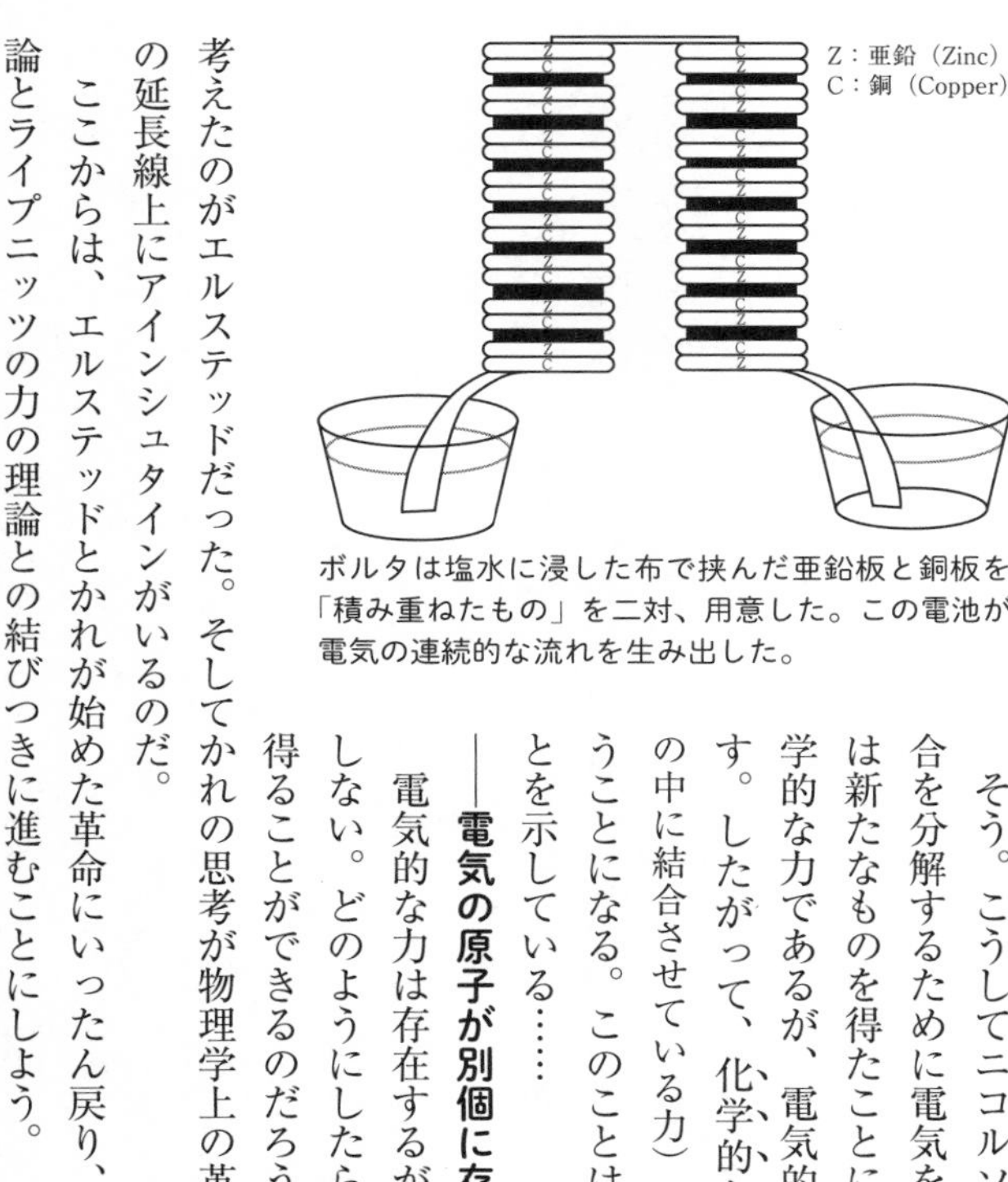

ボルタは塩水に浸した布で挟んだ亜鉛板と銅板を「積み重ねたもの」を二対、用意した。この電池が電気の連続的な流れを生み出した。

そう。こうしてニコルソンとカーライルは、化学結合を分解するために電気を用いた。ここでもわれわれは新たなものを得たことになる。化学変化の原因は化学的な力であるが、電気的な力は化学変化を引き起こす。したがって、化学的な力（ふつうの原子を水分子の中に結合させている力）と電気的な力は同じだということになる。このことは、次のようなものがないことを示している……

——電気の原子が別個に存在することだね。

電気的な力は存在するが、別個の電気の原子は存在しない。どのようにしたら電気の原子なしに電気力を得ることができるのだろうかという問いについて深く考えたのがエルステッドだった。そしてかれの思考が物理学上の革命の扉を開いたのだが、この延長線上にアインシュタインがいるのだ。

ここからは、エルステッドとかれが始めた革命にいったん戻り、つづいてエルステッドの理論とライプニッツの力の理論との結びつきに進むことにしよう。

エルステッドの大発見

ここまで話し合ってきたことを要約しよう。ニュートン理論全盛のころにはすでに、一部の科学者は別の道を歩み始めていた。この歩みが、二〇世紀の物理学におけるアインシュタイン革命を導く道を、徐々に準備してきた。人々は革命になるなどとはまったく思ってもみなかっただろうがね。

科学でとりわけワクワクするのは、科学がどこへ向かっているのか、いつでもわれわれにわかっているわけではないことだ。結局のところ、もしもアーロンが、自分がどこに向かっているのかを正確に知っているなら、あまり面白くないだろう？　答えを探したくなるのは、問題があるときだけだ。

一九世紀、科学者たちは難しい問題に悩まされていた。これらの問題のいくつかは、後にアインシュタインによって答えられたが、まだ答えられていないものもある。それは科学がまだ発展途上にあるからだ。

——その革命では何が起きたの？

アインシュタイン革命で、科学者たちはニュートンがまちがっていたことを学んだ。かれらは、力が遠隔作用をしないこと、質量がエネルギーに変化しうることなど、その他たくさんのことを学んだ。

——かれらはどうやってニュートンがまちがっていたことがわかったの？

第一に、かれらはわれわれがこれまで話し合ったような問いに答えなければならなかった。なぜ物質は、たとえば電気の力や重力の力のようないくつかの力を含んでいるのかという問いだ。それと関連するもう一つの問いは、なぜ電気的な力はある一定期間だけ作用して、他のときには作用しないのかということだった。また、どうしたら磁力を切ったり入れたりできるのかということもそうだった。

ニュートン的な世界像では、力を切ったり入れたりはできないのだ。たとえば、人は重力を切ったり入れたりできないだろう。ニュートンとライプニッツの中間くらいの考えをもっていたボスコヴィッチやカントでさえ、力の切り替えは不可能だというニュートンの考えには反対しなかった。かれらは、重力の法則によって物質ははるか遠く離れたところから作用し合うし、弾性の法則によって物質はわずかな距離のところから作用し合うと信じていた。おぼえているかな？

――うん。

でも、かれらはこれらの力がつねに存在していると考えていた。二つの粒子が接近しているときはいつでも、それらは弾性的なしかたで互いに作用し合っている。それらは互いに押しのけ合うのだ。粒子が互いに離れているときには、それらは重力のようなやり方で相互作用する。それらは互いに引き合うのだ。

エルステッドはこの事態を、一種の切り替えスイッチのようなものと見なした。そのスイッチは距離に依存するのだ。かれは、電気はつけたり切ったりできると考えた。たとえば、二つの物体を互いにこすり合わせたりするときのように。またかれは、化学的な力もスイッチを入れたり切ったりすることができると考えた。

そこでエルステッドは、どんな力もつけたり切ったりすることが可能だと信じた。かれは何もないところから力を発生させることが可能だとは考えなかった。われわれにできることは、ある力を別の力に切り替えることだけだ、と。これはとても新しいアイデアだった。つまり、われわれは力を創り出すことはできないのだ。

力は実在するものだ。こう言ったのがだれだかおぼえているかい？

――うん、ライプニッツだよね。

ライプニッツは、力を無から創り出すことはできないが、変化させることはできると主張した。さて、もしもわれわれが何かを変化させることができるなら、それは実在的なもの、すなわち世界の実体ないし基体ではない。したがって、もし力を変化させることができるなら、その力はどれも実在的なものではないことになる。基体というのは変化しないもの、あるいは「始源的」なものなのだ。

エルステッドは、「始源的な力」が世界の基体ないし実体であると考えた。この力はさまざまなしかたで現れる。時には重力として、時には化学的な力として、また時に磁力として現れるというようにね。

――ぼくたちはどうしたら重力を他の力に変えることができるの？

われわれはみんな、重力を電気に変える一つの方法を知っている。重力が物体に作用すると、どうなる？

――下に引っぱられるよ。

この落下を他の力に変えることができる。ナイアガラの滝には、落下する水の重力エネルギーを電気に変える発電機がある。エルステッドが研究を始めたとき、電気を磁気に変えたり、磁気を電気に変えたりできる人はだれもいなかった。かれらは動いている物体の力を電気に変えることはできた。こすることによって、かれらは電気をつくり出した。

今日でさえ、われわれは重力を直接、電気力や磁力に変える方法を知らない。われわれは物体を落下させることで重力を他の力に変えることができ、そのときわれわれは落下運動を電気に変えることができるが、直接的にはできないのだ。しかしながら、エルステッドはそんなことを気に留めなかった。かれは運動を電気に変える方法を知っていたし、化学的な力を電気に変える方法も知っていた。

――電池を使うの？

そう、そしてかれは、電池が電気を光や熱に変えられることを発見した。エルステッドは、この事例をある種の力を別の力へ切り替える例の一つだと考えた。われわれには、力を切ったり入れたりと完全に切り替えることは実際にはできない。でも、ある種の力を別の力へ切り替えることはできるのだ。

しかし、エルステッドは電気的な力を磁気的な力に変えることができなかった。一八〇〇年から一八二〇年まで、エルステッドは実験をおこない、電気を磁気に変える方法を考え出した。二〇年にもわたる懸命な研究の後、エルステッドは電気と磁気の相互作用である電磁気を発見した。

「私は、長いあいだ、電気の中に自分自身の姿を顕現する力を自然の一般的な力だと見なしてきた」とかれは述べた。「顕現」というのは「自らを現す」という意味で、自然の一般的な力が自らを電気として現しているということだ。

――どうして電気なの？

うん、それは磁気になるときもある。

――いつ電気になって、いつ磁気になるの？

その答えを私は知らないけれど、それはエルステッドも同じだった。でもかれは、ある条件の下では電気になり、別の条件下では磁気になる、と言った。だからここではこのように答えることにしよう。条件を変化させることによって……と。

――ぼくたちは電気を磁気に変えられるね。

そう、そこで、エルステッドはこうつづけている。「私は条件を変化させることによって磁気的な効果も引き出さなければならなかった」と。かれは電気を熱や光に変えることはすでにできていた。

――懐中電灯みたいに？

懐中電灯みたいにだが、エルステッドは電気を磁気に変えることがなかなかできなかった。そんなとき、かれは、ある講義で聴衆にいろいろな実験をやって見せている最中に、新たな実験をおこなった。それはとても単純なものだった。コンパスの針が南北を示すようにコンパスを置くのだ。その針の上に南北の方向に針金を置き、その針金に電流を通す。コンパス内の磁石は動き、針はもはや南北の方向を示さない。九〇度、すなわち東西の方向にずれてしまう。

磁石を使ってもコンパスの針を九〇度ずらすことができた。実際、電気を通す針金は一種の磁石なのだ。

——わかった。エルステッドは、電流が磁石だということを発見したんだね。

そしてこれがかれの時代においてもっとも重要な発見となった。

——何がそんなに重要なの？

考えてみてごらん。

——できないよ。

いや、できるはずだ。なぜエルステッドは電気を磁気に変えようとしたのだろう？

——かれはある力が別の力に変わりうることを示したかったんだよ。

なぜこのことがそれほど重要なのだろう？　これが不可能だと言ったのはだれだった？

——クーロンが言ったんだ。

では、なぜクーロンはそう言ったのだろうね？

——だってかれはニュートンにしたがっていたから。

そのとおりだ。ほら、エルステッドが電気力を他の力に変えたことがどうしてそんなに重要なことなのかがわかっただろう。

——ニュートンの考えを正すためだ。

そのとおり。だからそれはとても重要だったのだ。長いあいだ、ニュートンはけっしてまちがいをおかさない科学者で通っていた。しかし、エルステッドはニュートンのまちがいを示したんだ。

Ⅱ 情熱が定説を変える

エルステッドの研究は、ニュートン理論の他の点を正すのにも役立った。さて、エルステッドの実験では、電流線が磁石にどんなことをもたらしたかな?

――磁石を北の方角からそらしたんだ。

われわれは、この作用を押すことだとか、引くことだとか言うことはできない。なぜなら、もし針が電流線に引き寄せられたら引いたことになるだろうし、押すことだったら針は電流線から離れることになるだろう。エルステッドの実験では、電流線は磁石の向きを変える原因になったのだ。ここには新しい種類の力があることになる。

ニュートンは、われわれにも事物の向きを変えることならできると知っていた。テーブルに鉛筆を置いて、それを一つの指で一方向に押し、ほかの指で反対方向に押すことによって向きを変えることができる。別の方向に二度押すことで、鉛筆を回すこともできる。

ニュートンは、回転について、それが正反対の方向に押したり引いたりする力によって引き起こされることを知っていた。惑星は重力によって太陽のまわりに引き寄せられるが、それは引くことである。したがってニュートンは、ほとんどの回転を引くことや押すことによって説明することができた。

しかし、電流が磁石を回すというエルステッドの実験は、ニュートンの理論では説明できなかった。なぜなら電流を流す針金と磁石はどちらもはじめは南北の方向にあったからだ。それらは並んでいた。磁石の向きを南北から東西へと変えた電流線による磁石への作用は、押すことでも引くことでもなかった。

エルステッドは事物をくるくる回転させる力にもとり組んだが、これも引くことでも押すことでもない。これは新しい種類の力だった。ニュートンは、すべての力は引くことであるか、あるいは押すことであると言っていたのに。

――何百年も前におかしたまちがいで、だれがニュートンを責めることができるというの？

まちがったからといってニュートンを責めているのではない。しかし、一九世紀の人々は、真の科学者はまちがいをしないと信じていた。

――ニュートンを信じている人たちは、エルステッドのほうがまちがっているのだと示そうとはしなかったの?

ああ、したよ。エルステッド自身、確信していたわけではなかった。かれは、おそらく電流が風を起こし、その風が磁石の方向を変えるのだろうと考えた。どうすればこのことをテストできるだろうか? どうしたら磁石を動かしているのが風ではないということを示すことができるかな?

――風が吹いていたら、だれでも感じることができるよ。

その風がとてもかすかだとしたらどうだろう。結局、磁石はとても小さいので、ほんのわずかな風でもその動きを変えるのには十分かもしれない。どうしたらそこに風はまったく存在しないと確信できるのだろうか?

――磁石と電流線のあいだにガラスの壁を置いてみる。

まさにエルステッドはそうしたのだ。かれは磁石をガラスの箱に入れて、その実験をくり返した。何が起きたと思う?

――また同じことが起きた。

そう、そしてエルステッドは空気の風がないことを知った。しかし、おそらく他の種類の風があるかもしれなかった。どんな種類の風がそこに存在しえたと思う？

——エーテルの風がガラスを突き抜けて、磁石を回したとか？　だけど、もちろん、エーテルの粒子のようなものは存在しないよね。

エルステッドもそれを知っていたが、ニュートンの追随者の中にはエーテルの風を信じる者もいた。二つ問題があった。第一に、かれらはエーテルの風に関する実験のやり方がわからなかった。そして第二に、かれらにはまだ、電気的な力が磁気的な力に変わるしかたがわからなかった。ニュートン主義者たちが、力を切り替えることについて何て言っていたか、おぼえているかい？

——力を切ったり入れたりして切り替えることや、あるものから別のものに変えることはできないって。

エルステッドは、磁力をつくるために電気を利用した。ニュートンがまちがっていたか、それとも、その他の可能性は何だと思う？　ニュートンが正しいと仮定しよう。力をある力から別の力へと切り替えることはできないとしよう。だが、電気的な力は磁気的な力へ変えられた。

——たぶんそれは幻覚だった。

いや、実験は何度もくり返され、だれもそれが幻覚だなんて言えなかった。自分のおかあさんに似ている人は他にはだれもいないと仮定しよう。そのとき、もし自分の母親によく似た女の人に出会ったとしたら、何と言うだろうか？

——その女の人はぼくのおかあさんだって言うよ。

だから、もし電気が磁気に変わるところを見たら……

——電気は磁石だと言うか、磁石は電気だと言うかどちらかだ！

そのとおり！　一九世紀におけるもっとも優れたニュートンの追随者の一人が、フランスの科学者、**アンドレ＝マリー・アンペール**（一七七五〜一八三六）だった。アンペールは、ニュートンが正しいと信じ、磁気は電気の一形態だと信じた。磁石を磁石にしているのは、クーロンが主張したような、磁石が磁石の原子をもっているからではなく、磁石のようなはたらきをする小さな電流を磁石が含んでいるという事実が、磁石を磁石にしているのだと。

これは「アンペールの仮説」として知られている。アンペールはまた、針金にコイルを巻きつけ、それに電流を流すと、そのコイルを巻いた針金が磁石のようなはたらきをするということを発見した。この磁石が電磁石だ。

——じゃあ、アンペールは、エルステッドがまちがっていて、ニュートンが正しいことを示したくて、電磁石を発明したんだ！

まさしくそうだ。アンペール以後、人々はニュートンとエルステッドのどちらが正しいのかわからなくなった。ニュートンがまちがっていたことに科学者たちが気づくには、ほぼ一〇〇年かかった。

——どうやってそれに気づいたの？

そのことは後で触れることにしよう。だけど、ニュートンが正しいことを示そうとして電磁石を発見したアンペールは賢くないかい？　また、ニュートンがまちがっていたにもかかわらず、かれを擁護しようとしてアンペールが偉大な発見をしたのは、とても奇妙なことではないかい？

——うん。このことは、ニュートンを含めだれもがまちがいをおかしたことを示しているけど、かれらが言ったことの少しは正しかったことも示している。

科学がいかに奇妙なものかも示していると思うね。われわれはあらゆる可能性を追求しなければならないのだ。

「エーテルなんて存在しない」と見抜いたファラデー

これから明らかにしていくつもりだが、アンペールの仮説は、かれの研究が進むにつれてそれほど単純ではないことがわかってきた。ニュートン理論において、力は切ったり入れたりの切り替えができないが、アンペールのとなえる力は切り替えができる。

——**電流の流れる方向を変えることによって、力の向きを変えることもできるんだ。**

そう、だからこれらの力を切ったり入れたりすることや、方向を変えたりすることなど、ニュートン理論では不可能とされるいろいろなことができる。こうした力は、実際にニュートン的な力ではない。科学者の中には、アンペールのとなえる力のエネルギーを計算することは不可能だと主張する科学者もいた。

ラプラスとラグランジュは、ニュートンの体系ではエネルギーは保存されなければならない、すなわち、運動の総量もエネルギーの総量も同じままであることを示した。アンペールの体系には、このような保存はない。アンペールは、この困難を次のように想定することによって回避しようとした。

すなわち、電流がエーテルの中を動くときに摩擦が生じる。したがって、二つの電流間の相互作用を引き起こすのはエーテルなのだ、と。

——それはデカルトを思い出させるね！

そう、アンペールはニュートン主義者であろうと努めたが、少しばかりデカルト主義者になってしまった。もう一度この物語の教訓を見てみよう。

科学がどこに進んでいるのかつねにわかっているわけではなく、時には、その結果は驚くべきものになる。ニュートン自身、光の伝達理論の中に、ある種のエーテルを導入した。かれは、光が小さな原子でできているものと信じていた。光は粒子だった。実験によってニュートンは、白い光が七色のスペクトルに崩壊するのを観察し、したがって、七種の光の原子があると考えた。

ニュートンの時代には、デカルトに追随するもう一人の偉大な思想家がいた。オランダの科学者、**クリスチャン・ホイヘンス**（一六二九〜一六九五）だ。ホイヘンスは、光の波動理論を発展させた。かれは、光は粒子でできているのではなく、むしろエーテルの波でできていると信じた。ニュートンはホイヘンスに同意しなかった。なぜなら、ニュートンは、波が光とはまったくちがったしかたでふるまうと考えていたからである。

——音っていうのは波だよね？

そう。たとえば、バイオリンの弦が振動するとき、その振動が音である。音は空気の振動によってわれわれの耳に届く。バイオリンの弦だけが弾性的ではなく、空気も……

——そうだ！　ロバート・ボイルが発見したように！

ニュートンは空気の弾性を研究し、いくつかの興味深いことを学んだ。かれはなぜ音が壁のまわりを回るかを説明した。光は壁のまわりを回るかな？

——回らないと思うよ。

だからニュートンは、光は音とはちがい、波のようなものではないと主張したのだ。しかしニュートンはまちがっていた。なぜなら、光は、音のようには壁のまわりを回らないけれども、少しだけなら壁のまわりを回るのだ。科学者の中には次のような示唆をする者もいた。光が壁のまわりをあまり回りこまないのはおそらく、音が伝わる空気とくらべると光のエーテルがずっと硬く、弾性的でないからだと。

しかし、ニュートンの時代には、光が壁のまわりを回ることなどだれも信じていなかった。この事実はおよそ一〇〇年後に発見されたのだ。ニュートンが光は波のようなものではないと主張したとき、人々はそれを信じた。

しかしながら、一八〇〇年、**トマス・ヤング**（一七七三〜一八二九）というイギリスの医者は、目の色に関する巧みな実験で、光の主要な色が七色だけではないことを示した。ヤングは、無限に多くの色があることを発見したのだ。

無数の種類の原子が存在するという考えを受け入れることは困難だ。しかし、もし光が波のようなものであって、すべての色が（ピアノのさまざまな音色のように）さまざまな波長を表していると考えれば、無限に多くの色が何の問題もなく存在しうることにヤングは気づいた。

このようにして、ヤングはホイヘンスの光の波動理論を復活させた。ヤングは、光の波と音の波が同一のものでなければならないと仮定した点でニュートンとホイヘンスのどちらもまちがっていたと思った。ニュートンはつねに正しいと信じてきた人々にとって、これは大きな衝撃だった。最初のうちは、だれもヤングを信じなかったが、ヤングは実験で自分の正しさを明らかにしたので、かれの考えはしだいに受け入れられていった。

さて、波についてわれわれが知っていることが一つある。それは波が何らかのものの中、媒質の中を動くということだ。音波は空気の波だ。他にどんな波が考えられるかな?

――海面の水の波があるよ。

では、海面の波がどのようなものか知っているだろう。海面は上がったり下がったりして、波は海岸に打ち寄せたり、海岸から遠ざかったりする。音波は空気の粒子でできていて、上がったり下がったりせずに前後に動く。私の口からアーロンの耳に音が伝わるとき、私ののど近くにある空気の粒子がその近くの粒子を動かし、次にそれがその近くの粒子を動かし、最後にアーロンの鼓膜に近い粒子が動き、音が聞こえる。

二種類の異なった波があることになる。海の波は、水平という一方向に伝わるので横波だが、水の粒子は上下という別の方向に動く。音波は縦波だが、その粒子は上下ではなく、前後に動き、その波が進む方向に沿っているからだ。

ホイヘンスは、光波は縦波だと考えたが、ヤングは、それが横波であることを明らかにした。弾性体は横波と縦波の両方をもつことができるが、光が波であることをヤングが発見したとき、この光波がその中で動く弾性体を探し求めた。「媒質」とも呼ばれる。この媒質は、とても薄い微視的な粒子なので、見たり感じたりできるものではない。ヤングはこの媒質を光波の媒質ないしは「光を伝える（luminiferous）エーテル」とよんだ。光の単位をあらわす「ルーメン（lumen）」というのは「光」という意味で、「luminiferous」は、「光をかつぐ」という意味だ。

さて、アンペールは、電流が摩擦によって相互作用する他の媒質を要請した。この媒質は、電気的エーテルという別のエーテルだった。

――エーテルは実際には存在しないと思っていた。

ああ、いまのわれわれはエーテルの存在を信じていない。ニュートン、ヤング、アンペールはすべてまちがっていたと思う。しかし、かれらが事態をどのように見たのかを示そうと努めてきたのだ。磁気的エーテルの存在を信じる科学者すらいたのだ。エーテル理論はひどく複雑になってしまった！

——すべてが混乱してしまったの？

いや、そうではない。事態がすっかり混乱してしまう前に、**マイケル・ファラデー**（一七九一～一八六七）が登場した。かれが困難を片づけてくれたのだ。一九世紀の科学に対するファラデーの偉大な貢献は、「エーテルは存在しない」と主張したことだ。

ファラデーについて論じる前に、もう一つ言っておきたいことがある。人々がエーテルについて考えたとき、どうして地球はエーテルの中をいとも簡単に動くことができるのだろうかと考えた。かれらは、いわゆる「エーテルの風」を発見しようと努めた。かれらは、エーテルの中を動く地球を感じとろうとした。そして、エーテルの風が存在しないという事実が、現代科学の革命においてきわめて重要になったのだ。まあ、エーテルについてはこれくらいにしておこう。

科学界のシンデレラ物語

——えっと、ファラデーはどうだったの？

ファラデーはとても興味深い人物だった。ファラデーに関する本は、ニュートンとアインシュタインに関する本を合わせた数よりも多いのだ。

——その理由は、かれがエーテルにまつわる混乱を解決したからなの？

それがまったくちがうのだ。それどころか、ファラデーが生きていた一九世紀には、人々はエーテルについてまったく気にかけていなかった。

——じゃあ、なんでかれについてそんなにたくさんの本が書かれたの？

理由は二つある。一つはかれが科学界のシンデレラとよぶのにぴったりの人物であったこと、もう一つはとても興味深い人間であったことだ。

——「科学界のシンデレラ」って、どういう意味なの？

この物語を手短に話してあげよう。これまで私は、科学者の個人的な生活についてはあまり話してこなかった。どのようにかれらが生活し、どこからお金を得ていたのかも言わなかった。科学の「社会」史の一部であるこのようなことについても少し話をしておいたほうがいいだろう。

近ごろでは、大学や産業界で研究に従事する人々は、比較的よい暮らしをしている。中世では、そうともかぎらなかった。当時、学者には二つのグループがあった。一つは王室の援助を受けていたグループ、もう一つはカトリック教会の援助を受けていたグループだ。

——教会は大学も創った。

そのとおり。さて、コペルニクスは教会の援助を受けていたが、デカルトは宮廷につかえる人で、ある王女の教師だった。ケプラーとガリレオはともに教授であり宮廷につかえる人だった。王立協会の創立にともなって事態は一変した。なぜなら王立協会では次のように信じられていたからだ。科学者は独立しているべきであり、ある種の「アマチュア」でなければならないと。こうして科学者はアマチュアになった。かれらは主として、余暇に科学研究のできる裕福な人々だった。

——かれらが最初のアマチュア科学者だったの？

それはわからない。おそらく、ギリシャの哲学者の中にはアマチュアもいただろうが、中世にはアマチュアがほとんどいなかったことはたしかだ。なぜなら、学識のある者のほとんどは、大学か王室か、またはその両方と結びついていたからだ。

——ではいったい何が起きたの？

宮廷があまり重要でなくなるにつれて、宮廷で実際に生活する人々の数が減っていった。一般的にいって、いまや王家は中世におけるほど重要でない。そうだろう？　また大学も研究に適する場所ではなかった。中には大学の教授でとてもよい科学者もいたけれども——ニュートン、エルステッド、アンペールは教授だった——、エルステッドは奇抜で新しい考えのもち主だったがゆえに、苦難の末に教授の職を得た。

ところがいま、われわれは新たなタイプの人間に出会う。何千年ものあいだ、ほとんどの人々は、科学者になれるどころか、読み書きすらできなかった。読み書きを学ぶことは、とても裕福な人間か、聖職者や医者、天文学者といった、仕事上、読み書きが必要な人間のすることだった。

今日ではほとんどの人が読み書きできるし、多少の科学さえも知っている。こうした変化は、一九世紀初頭に始まった。そのころからしだいに多くの人々が教育を受けるようになったのだ。とても貧しい家庭でも、子どもがもっと自立してよりよい仕事につけるようにと教育を受けさせるように努めた。その時期に産業革命が始まったのだが、工場が生まれ、技術を習得した人にはより多くの、よりよい仕事があった。

まずイギリスにおいて、その後ヨーロッパの他の国々において、貧しい人々を教育する運動が始まり、その結果、かれらは自分の運命を切り開くことができるようになった。そして一七九九年には、この目的のためにイギリスでは王立研究所が設立された（国王の認可は翌年）。ファラデーは、最初、この研究所の講義を聴いたのだが、最後にはこの研究所の実験室長となった。王立研究所は主として成人を対象にしていたのにもかかわらず、ファラデーは、子ども向けのクリスマス講義も企画した。

エルステッドは、この研究所のファラデーを訪れて、とても感銘を受け、デンマークに帰国すると、そこで成人教育プログラムの開始を支援した。このプログラムは今日もつづいているのだ。

さあファラデーに戻ろう。鍛冶屋だったかれの父親はとても貧しかった。ファラデーはろくに学校にもいけなかった。かれは言った。「私の受けた教育は、もっとも月並みな叙述にあてはまるものだ。すなわち、ふつう学校で教わる基本的な読み・書き・算数にすぎないものであった。学校以外の時間は、家か街ですごした」と。

ファラデーは、生涯にわたって、けっして数学が得意ではなかった。われわれはふつう、科学者というものは何らかの数学に精通しているにちがいないと考えてしまうのだが。ファラデーは英語ですら、その正しい話し方を身につけるために独学しなければならなかった。

一三歳の少年のとき、ファラデーは、製本業者で教養ある人物、ジョージ・リーボー氏の使い走りの仕事をするようになった。リーボー氏についてはあまり知られていないが、かれのもとではたらくすべての少年たちに対して、かれが知的関心を目ざめさせようとしたことだけはたしかだ。

ファラデーはその中でもっとも賢かった。かれは一日中はたらき、自分の製本している本が面白いと、夜通しその本を読んだ。客が注文していた本を受けとりにやってくると、リーボー氏は、ファラデーがまだ読んでいる途中なのがわかると、客にまだ製本ができていないといって、時には断ったりした。

――かれはとってもいい人だったんだね！

ファラデーは、一七歳になると、すでにいっぱしの科学者になっていた。そのころには、かれは店を辞め、出張製本業者として一人ではたらきに出ていた。ファラデーは長時間はたらいたので、科学を研究する暇を見つけることがほとんどできなかった。世界は科学者としてのかれをもう少しで失うところだった。かれが科学者になるまでには克服しなければならないことが山のようにあった。

まだ青年のとき、かれはロンドンで一般向けの科学講義のコースがあることを聞きつけた。講義は、後にロンドン大学で夜間講座を開いたジョン・テイタムによっておこなわれた。ロンドン大学にはいまでも夜間講座がある。出席するには、人々は一シリング、約四分の一ドルを支払わなければならなかった。ファラデーにはその一シリングの余裕もなかったので、兄のジョージが代わりに支払った。かれは全講義に参加し、注意深くノートをとった。後にかれはそのノートを一冊の本に製本した。

次にファラデーは、当時、もっとも偉大な化学者だった**ハンフリー・デービー**（一七七八～一八二九）の一連の講義を聴くことができた。再びかれは講義を喜んで聴き、注意深くノートをとり、それを美しく印刷して後に一冊の本にした。そのときかれはまだ骨の折れる仕事をしていたので、研究に費やせる時間はほとんどなかった。

ある日、ファラデーは、デービーがかれの実験室で、びんや試験管を洗う仕事をする人を探しているということを聞きつけた。ファラデーは、デービーに会いにいき、講義ノートを見せて、いかに自分が科学に興味を抱いているかを示した。デービーは、この若者の「熱意」にとても感動し、かれを採用することにした。ファラデーは最初、作業員として雇われ、次に助手、さらに講師となった。最後には、かれは王立研究所実験室の室長となった。

——とんとんびょうしですごく面白いね。

まったくそうだ。ほら、シンデレラのような物語だろう。ファラデーが年老いて研究所を去ったとき、人々はかれを王立協会の会長およびロンドン大学の学長にしたいと思った。人々はファラデーにできるだけ多くの名誉をあたえようとした。ファラデーの輝かしい成功物語が、かれについてたくさんの本がある理由の一つだ。もう一つの理由は、かれの発見がとても美しいからだ。

全世界を相手にして戦う

そろそろファラデーという人物の話はやめにして、科学者としてのファラデーについて話すことにしよう。化学者のファラデーは、デービーの弟子になった。デービーも化学者だった。ファラデーは、電気に興味をもつ以前に、いくつかの化学的発見をしていた。

ファラデーは数学的知識が乏しかったので、物理学をやや恐れていたにちがいないと私は思っている。数学が多く書き込まれている科学論文を読むことは、かれには容易でなかった。このことがかれをいらいらさせた。しかし、電磁気が発見されたとき、ファラデーはそれに熱狂的に夢中になり、時間がまったくない中で、ある発見、すなわち物理学におけるかれの最初の発見をおこなった。電流が磁石を回転させるというエルステッドの発見をおぼえているかな?

——うん。

一方で、アンペールはこう言った。回転力というものは存在せず、ただ押しと引きだけがあるので、その磁石は回転しているのではなく、押されたり引っぱられたりしてねじれているのだと。アンペールがニュートンの追随者だったことをおぼえているだろう？

——うん、おぼえているよ。

ファラデーはエルステッドを信じた。実際のところ、エルステッドを強く信じたのは、ファラデーだけだった。ファラデーは批判の力を信じていたので、エルステッドがニュートンをあえて批判したのを見て喜んだ。ファラデーは、科学者のおかす最悪のことは、自分の誤りがわかった後でもその誤りにしがみつくことだと考えた。そこでファラデーは、エルステッドをとても真剣に受けとめ、磁石が電流線のまわりを回転できる装置をつくろうと試みた。

かれは、磁石を水銀の入ったグラスに沈め、一つの極だけが表面に出るようにした。磁石から少し離れた上方にあるフックから針金を吊るし、針金が水銀の表面すれすれに触れるようにして、その結果、その端が表面を動けるようにした。かれは、電池の一方を水銀にくっつけ、電池のもう一方の端を針金のてっぺんにくっつけて、電流が針金の中を流れるようにした。その針金が磁石のまわりを自由に回転できるようにしたのだが、それがまさに起こったのだ！

電池にスイッチが入っているかぎり、電流は流れ、電流の流れている針金は、磁石のまわりを回転しつづけた。ファラデーは磁石を回転させることができなかったので、その代わり、針金を回転させたのだ。実際、これが最初の電気モーターだった。

——それは賢いね。かれは磁石を回転させようともしたの?

したけど、できなかった。その後、人々は磁石を回転させる方法も学んだが、これは別の話だ。他の科学者たちは、この偉大な発見を羨望の目で見た。突如として、ファラデーはとても重要になったのだ。かれがこの発見をおこなったのは三〇歳ごろのことだったが、かれが第二の偉大な発見をおこなうまでにはさらに一〇年ほどかかった。これもまた、エルステッドの影響によるのだ。エルステッドの理論をおぼえているかな?

——うん。すべての力は別の力になりうるというんだ。エルステッドは、電気力を磁力に変えようとしたけど、そうしてかれは、電気が磁気と相互作用することを発見したんだよ。

その後まもなく、他の科学者たちは、電気と熱の相互作用を発見した。エルステッドは、電流が針金を流れると、針金が熱くなることをすでに観察していた。エルステッドの追随者、**トーマス・ヨハン・ゼーベック**(一七七〇~一八三一)は、熱と電気の別の相互作用を発見した。熱は電気に戻すことができるというものだ。どんな感想をもつかな?

——いったりきたりだね。

そうだ。だけど、もしエルステッドの理論が正しいなら、どんなものでもいったりきたりできるはずだ。もしAという力をBという力に変えることができるなら……

――Bという力をAという力に戻すこともできるってわけだよね！

そうだ。こうしてゼーベックは、熱電気を発見した。二つの金属でできている金属の輪の一方を熱すると、輪の一方と輪のもう一方とのあいだにある熱のちがいが電流を輪の中に流す原因となる。さて、電気を磁気に変えることはできた。つまり、電磁気だ。しかし、磁気を電気に変えることは、依然として問題だった。そのやり方を、ファラデーはついに見つけた！

これがファラデー最大の発見で、かれは当代随一の科学者となった。この発見をファラデーは「逆エルステッド効果」と名づけた（現在では「ファラデーの電磁誘導の法則」と呼ばれている）。この発見によって、「単極発電機（ファラデーの円盤）」――ダイナモの原型――の開発も実現した。電気モーターをつくった日から、じつに一〇年後の快挙だった。

この一〇年のあいだ、かれはひじょうに辛い時期をすごした。ファラデーは、エルステッドの数少ない追随者の一人で、大きな自己不信に陥った。「全世界を相手にして戦っている私はだれなのか」とファラデーは自問した。すべての力は循環すると信じた唯一の人物がファラデーだった。引いたり、押したりすることでさえ循環する力の結果なのだ。

ファラデー以外のすべての人たちは、エルステッドがまちがっていて、ニュートンの押したり引いたりするという理論の正しさをアンペールが証明したと考えた。数年間、一生懸命に研究をつづけた後、ファラデーは、エルステッドが正しいという希望をほぼあきらめかけた。結局、アンペールのほうがおそらく正しいのかもしれないと思うようになった。

ところが、一八三一年、磁石から電気をつくる方法を発見したとき、ファラデーは、その結果に感動し、押したり引いたりするという理論にはけっして再び戻らないと心に決めた。「あなたは、私があなたをかついでいると思うかもしれない」とファラデーは当時、友人に語っている。

「あるいは、私に同情して、私が自分を偽っているのだと断言するかもしれない。しかし、あなたはそのどちらでもある必要はないし、しかも、おおいに笑ったほうがいい。誠心誠意、私がおこなったことによると、それは引力でも反発力でもなく、まさに、私がかつてとなえた回転の新しい形態の一つだということを私は発見したのだから」と。

生涯をかけて、かれは革命的に新しい空間理論のために奮闘した。その空間理論とは、空間は、事物を回転させたりといったありとあらゆる種類のことができる力で満たされている、というものだ。その力は、押すにせよ引くにせよ遠隔作用はできない力なのだと。このことについては、すぐ後でくわしく話そう。

長年のあいだ、ファラデーは孤独に思考をつづけた。人々は、かれのアイデアを真面目に受けとらなかった。その理由は主として、かれには数学の知識があまりなかったからだが、かれがニュートンに異議をとなえたからでもあった。

ファラデーには自信と自信のなさが同居していた。かれは自己不信の気持ちすら多分にもっていた。「これはまったくの夢にすぎない」とあるとき、日記に記している。ところが、次には「まったく確信している」とも述べている。すべてのニュートン主義者がまちがっていて、かれだけが正しいというのか？　全世界に対して一人で立ち向かうのは困難をきわめることなのだ。

科学を揺り動かした「奇妙な実験」

エルステッドの発見は一八二〇年になされた。一八二一年、ファラデーはわれわれが先ほど話題にしたモーターをつくったが、かれが磁気から電気力をつくる方法を発見するまでには、さらに一〇年かかった。かれはこれをとても奇妙な方法で発見したのだ。

強力な電磁石の近くに針金を置いたら、小さな電流が針金に流れるだろうと、ファラデーは考えた。かれはこれに何度も挑戦したが、電流を見つけることはできなかった。事実、かれの予想はまちがっていたのだ。なぜなら、強力な電磁石のそばに置かれた針金には、電流は誘導されないからだ。

しかし、ファラデーは、電磁石の電流を切ったり入れたりする瞬間に、そばにある針金に大量の電流が生じることを発見した。電流はスイッチを切り替える瞬間に、一時的に流れるのだ。ファラデーは困惑した。なぜなら、磁力は瞬間的にではなく持続的に電気力に転換されうるとかれは考えていたからだ。

ニュートンによると、力は距離にのみ依存し、変化や運動には依存しない。エルステッドとアンペールの発見はどちらも、持続的な運動と結びついていた。なぜなら、電流が流れているかぎり、磁力は存在するからだ。おぼえているかい？

——おぼえているよ。

ファラデーは、一定した運動の期間ではなく、加速するときだけ、すなわち、運動を始めたり止めたりするときだけに現れる力を発見した。

一本の針金に電気を加速すると、もう一本の針金に電気が生まれる。このことを、かれは単純で直接的な実験でたしかめた。かれは一本の針金を別の針金の側に置き、かれが一方の針金の電流を切ったりつけたりするとき、もう一方の針金に電流が流れることに気づいた。しかし、一方の針金の電流が一定である場合（または電流が流れていない場合）、もう一方の針金に電流は流れなかった。

こういうわけで、ファラデーが発見にいたるまでには一〇年もかかった。かれは一本の針金に流れる一定の電流がもう一本の針金に電流を引き起こすと予想していたからだ。

ファラデーはさらにもう一つの実験を試みた。電磁石を用いる代わりに、かれは天然の鉄磁石を使った。さて、天然磁石ではスイッチを簡単に切り替えることはできないだろう?

――切り替えることなんてできっこないよ。ずっとつきっぱなしだもの。

なるほどそうだが、磁気をなくすことはできる。たとえば、磁石を熱すれば、磁気はなくなるが、これには長い時間が必要だ。とにかく、ファラデーは磁石の力を切ったり入れたりすることはできなかったが、磁石を針金に近づけたり遠ざけたりすることはできた。かれは針金のコイルを使い、そしてコイルの中に磁石を突っ込んだ。すると、磁石を動かしているかぎりコイルに電流があることに気づいた。かれはこの結果を説明するために、とても単純だが重要な理論を考案した。その理論は「磁力線」と関係するのだ。

――磁力線?

もし一枚の紙の上に鉄粉をまき、その紙を磁石の上に置いたら、その鉄粉は磁化され、ある一定の線にそって配列されるだろう。鉄粉のどれもがN極とS極をもった小さな磁石になる。それらの鉄粉は磁石のN極とS極に結びつく閉じた線の中に配列される。これらの線が「磁力線」とよばれるのだ。さて、ファラデーは電気の原子とか磁気の原子の存在を信じていなかった。

――かれは電気力と磁力の存在を信じていたんだったね。

そのとおり。だからかれは磁力線が実在すると信じたのだ。他の人々はみな鉄粉の助けを借りて見ることのできる力線は実在しないと考えていた。つまり鉄粉はたしかに実在するが、力線は実在しないのだと。人々はもし鉄粉をとり除いたなら、力線もとり除かれるだろうと考えた。

ファラデーは同意しなかった。かれは力線が実在する力を示していると信じた。磁石は、力の環境によって囲まれていた。原子やエーテルではなく、力のだ。

われわれはどのようにしたらそのような力が実在することを信じられるだろうか？　もし針金が磁力線を横切って切断したら、針金に電流が生じる。そこでファラデーは、磁力線は実在するものだと主張した。なぜなら、チーズを切るのと同じように磁力線を切ることができるからだと。他の科学者のほとんどはまだ力の存在を信じていなかった。かれらは、実在するのは原子であって、力は単に原子間の相互作用であると主張した。ファラデーはそれ以上のものがあると考えた。

もう一つの例を挙げることにしよう。もし二本の針金を平行に置いて、一方の針金に電流を生じさせたら、もう一方の針金に何が起きるかな？

——えーと、スイッチを入れたとき、それにも電流が生じるよ。

そう。そしてファラデーの理論は、なぜもう一方の針金にも電流が生じるのかを説明した。針金に電流が流れているとき、針金は力線によって囲まれている。電流が流れる瞬間、磁力線が生じる。もし近くにもう一本の針金があったら、磁力線が針金を横切って切断されることによって、針金に電流が引き起こされる。

そこで、ファラデーの一般理論は次のように述べる。針金が磁力線を横切って切断するとき針金に電流が流れると。切断する磁力線の数が多くなれば多くなるほど、より強力な電流が生じる。たとえば、とても強力な磁石の両極の近くで針金を動かしたら、大きな電気が生じる。なぜなら多くの磁力線を切断することになるからだ。あるいは、針金をひじょうに速く動かせば、たくさんの電流が得られる。多くの磁力線を切断するからだ。

これが、当時おこなわれた、ファラデーの偉大な実験だった。これが偉大な実験なのは、かれは力が実在することを証明するためにこの実験を用いたからだ。すなわち、力線が切断されるとき電流が生じるのだ。ファラデーはまず、アンペールがまちがっていたことを学んだ。なぜならアンペールは、磁力などというものは存在せず、ただ電気力だけが存在すると主張していたからだ。

S
N

ファラデーは、電気力が磁力になりうるように磁力が電気力になりうることを明らかにした。したがって、電気力と磁力は同等なのだ。第二に、あとで説明するように磁力は波なので、磁力が空間を移動するためには時間がかかる。だからファラデーは、遠隔作用は存在しないと結論した。遠隔作用を導入したのがだれだったかおぼえているかな?

——うん、ニュートンだよ。

ニュートンが遠隔作用という考えを導入したとき、かれ自身、それには不満だったが、かれの追随者たちはそれを受け入れた。ファラデーは、力が空間を移動するのに時間を必要とすると主張した。重力ですら空間を移動するのに時間がかかるのだ。

さらにファラデーは、力線に変化を加えると、弾力のある弦が変化するときのように、時間とともに変化が移動していくだろうとつけ加えた。これはわれわれが音楽を演奏するようなやり方だ。バイオリン奏者が弓で弦の一部に触れて、弦に変化を生み出すと、弦の弾性によって、その変化が弦を伝わっていくのだ。ファラデーは、力線は弾性的だと主張した。

さて、アーロンはおぼえているだろうが、科学者の中には、光の波が伝わっていくためには弾性的なエーテルが必要だと信じる者がいた。ファラデーは、エーテルはまったく存在せず、ただ磁力線だけが存在するという輝けるアイデアをもった。力線をバイオリンの弦のように振動させたら……

——光の波だ！

そのとおり。これがファラデーの理論だった。力は移動するのに時間がかかる。力は振動することのできる弾性的な線に関係し、磁力線が振動するとき、光が生み出される。では、空虚な空間はどうなるかな？　わかるかい？

——そんなことわかんないよ。

われわれが空虚な空間について知っていることは何かな？　たとえば、太陽と地球のあいだとか、恒星と地球のあいだの空間について。この空間の中では何が起きている？

——光が伝わっている。

光が太陽から地球に届くことをニュートンはどのように説明した？

——光の原子によって。

では、ヤングの光に関する理論は何だった？

——光は弾性的な波でできているというものだったかな。

そして、このような弾性的な波があることで、ヤングは、次のように信じた。宇宙は……

——エーテルでいっぱいだと。

エーテルは波を伝えるものだ。ファラデーは、弾性的なエーテルは存在しないと主張した。それでは、どのようにして、光の波は地球に届くのだろうか？　ファラデーによると、光の波は磁力線の波である。したがって、太陽と地球のあいだの空間など、すべての宇宙は磁力線で満たされている。

これがファラデーの「大胆なアイデア」だ。アインシュタインがそうよんだのだ。ファラデー以前には、ほとんどすべての人々（ライプニッツ、カントなどの数人を例外として）は、空虚な空間、つまり真空空間は、物質を含んでいるとか、その物質が場所によって異なるとかということを除いて、あらゆる場所で同じでなければならないと信じていた。そこで、太陽と地球のあいだに波が存在するならば、太陽と地球のあいだには振動する何ものかが存在しなければならないということですべての人が一致していた。

空虚な空間における波について初めて言及したのがファラデーだった！　ほとんどすべての人は、空虚な空間が振動し、しかも弾性的であるなどというのはナンセンスなたわごとだと、直ちに同意した。カントとファラデーを除くほとんどすべての人は、空間は空虚か満たされているかのどちらかだと信じていた。

力の場というのは、満たされた空間と空虚な空間の中間的なものだ。「空間は物理的な性質をもつ物質だ」とファラデーは言った。空間と物質とのあいだの「違いを区別することは私にはできない」と。そして、またアインシュタインから引用してみよう。ファラデーによって、「空間自体に命が吹き込まれた」。

ジョン・チンダル（一八二〇～一八九三）は、ファラデーの晩年におけるもっとも近しい友人であり、ファラデーが引退したとき、かれの後を継いだ。一度チンダルは、空虚な空間に対するファラデーのアイデアが理解できないという内容の手紙をファラデーに書き、それを公表したことがある。ファラデーはその返事を同じ雑誌に掲載した。二人の人物が王立研究所という同じところに手紙を出し、しかも双方の手紙が出版されるというのは、とても奇妙なことだ。

ファラデーはチンダルに次のように答えた。チンダルは、事実にもとづいて、自分が正しく、ファラデーがまちがっていることを明らかにしているのではなく、いくつかの原理にもとづいて、空虚な空間は絶対に不変化であると確信しているにすぎないと。「媒質の中で起きることは、事実にもとづく私の知識によると、空間の中でも起きるかもしれない」とファラデーは述べた。

ファラデーが亡くなった後、チンダルは『発見者ファラデー』というかれについての最初の本を書いた。その本の中で、チンダルは、発見者としては、ファラデーはとても偉大だが、思想家としては、かれは少し変わっているかもしれないと述べた。

バトンは次の世代に

ファラデーは、光波が磁力波と同じものであることを実際に示すことはまったくできなかった。かれは試みたが、磁力線の動きを見つけることはけっしてできなかったし、電気力と光の相互作用のしかたを発見することにも成功しなかった。

だがかれは、重要な現象の予想をおこなった。すなわち、光源を磁場に置くと、その色がわずかに変化する現象の予想である（この現象は、ファラデーが亡くなってからおよそ三〇年後の一八九六年に、**ピーター・ゼーマン**（一八六五〜一九四三）によって発見された。これは「ゼーマン効果」とよばれ、原子物理学の発展にとってきわめて重要なものとなった）。ファラデーはまた、変化する磁力線が電気を生み出すだけではなく、変化する電気力線もまた磁力を生み出すことを示そうと試みたが、成功はしなかった。

これまで私は、なぜファラデーに対してこのようなたくさんの反対があったのかを説明しようとしてきた。多くの人々は、ベーコンにしたがい、もしわれわれが実験と観察を十分におこなえば、自分たちの理論を証明できると信じていた。ニュートンは自分の理論を証明したように思われたので、したがって、人々は、力というものは、空虚な空間に存在することはできないが、その代わり、空虚な空間を動き回る原子間の相互作用があることを確信した。

ファラデー自身、全世界を相手にして戦うという困難を抱えていた。かれは、自分がたぶんまちがっているのではないかと思い、自分自身の考えを批判しようと一生懸命に努めた。しかし、かれはどこにもまちがいを見つけることができなかった。事実、かれの考えは、まわりのだれよりも優れていた。

かれは、数学についてあまりよく知らなかったが、すばらしい数学的な理論をもっていた。かれはただ、その理論を数学の言語で語ることができなかったのだ。かれは見事な計算をおこなうことはできたが、数学的な説明能力を欠いていたので、人々はかれを理解することができなかった。

しかも当時は、当然のことながら、かれらはファラデーを理解したいとも思っていなかった。なぜなら、かれらはニュートンが正しいものと信じたかったからだ。ファラデー自身、人々が自分を単純に信じることを望んでいなかった。かれは、科学は信念の問題ではなく、批判的吟味・検討の問題だと感じていた。それにしても、かれは自分の理論がほとんど受け入れられないことに少なからず落ち込んだ。

――人々はとても頑固だったんだね。

まったくだ、と私は答えた。ファラデーは、世界を相手に戦うことに全精力を使い果たすのはやめて、ただ、だれかが聞いてくれるまで何度でも実験をくり返し、何回でも自分の考えを静かに説明しつづけることに決めた。そのため、ファラデーは孤立した。かれは、夜間講義などの目的のために設立された王立研究所ではたらいていた。かれは、多くの人々に講義したが、ほとんどの科学者は出席しなかった。ほとんどの人が、かれの仕事に興味を示さなかった。

力の電磁場の存在を受け入れた人たちでさえ、力は空虚な空間には存在しえないと主張した。もし空間が力で満たされているならば、空間は原子でいっぱいだとかれらは言った。二つの考えの学派があった。一つのグループは、空間は通常の原子で満たされており、そのような原子は広範に分散していると主張した。もう一つのグループは次のように主張した。原子にはさまざまな種類があり、その微視的な原子には……

――エーテルがあるっていう。

そのとおり。エーテルを信じている人々の中にも、二つのグループがあった。ニュートン主義者とデカルト主義者だ。もっとも重要なデカルト主義者として**ケルヴィン卿**と**ジェイムズ・クラーク・マクスウェル**（一八三一～一八七九）の二人について話をしよう。かれらは、ファラデーに影響されて、デカルト主義者になったのだ！　どうしてそうなったのかもかなり奇妙な話だ。

スコットランドのグラスゴー大学で、ある教授が病気になり、休暇をとった。大学は、かれの代わりに、ファラデーのいとこのデイヴィッドを雇った。デイヴィッドは、その大学で、学生に力の場について教えた。学生たちは、そのアイデアにひじょうに興奮した。かれらの中には、後にケルヴィン卿として知られるようになった、ウィリアム・トムソン（一八二四〜一九〇七）という若い男がいた。デイヴィッドは、かれらに「ファラデーの情熱を吹き込んだ」のだ。

――ぼくは好きだよ。ファラデーの情熱が、力の場になったんだ。

デイヴィッドは、ファラデーの「媒質における電気的作用に関する非正統的（heterodox：通常ではないとか、少し狂っているという意味）な考え」が「遠隔作用するニュートン的な力」と対立するものであることを、若い学生たちに説明した。

――でもファラデーは、エーテルという媒質を信じてなかったんでしょ？

そのとおり、ファラデーは信じていなかった。しかしケルヴィン卿はつねに信じていた。ケルヴィン卿は次のように考えた。ファラデーはデカルト主義者になるべきだ、デカルトこそが真空の存在を否定していたのだから、と。さて、ケルヴィン卿は優秀な男だった。かれがイギリスのケンブリッジ大学の教授になったのは、まだ二〇代のころだった。

ケンブリッジ大学には、ジェイムズ・クラーク・マクスウェルというもう一人の優秀な若いスコットランド人がいた。マクスウェルは、アンペールの追随者たちが書いた電気に関する本のすべてを読み、かれらの理論は「混乱している」と見なした。マクスウェルはケルヴィン卿にアドバイスを求める手紙を書いたが、ケルヴィン卿はこう返事した。「ファラデーを読め」と。

マクスウェルはファラデーを読み、しだいに興奮をおぼえた。ケルヴィン卿と同様、マクスウェルもデカルト主義者になり、ニュートンがかつて望んだように、デカルト哲学の復興のためにファラデーのアイデアを利用することを望んだ。かれはファラデーに、美しくかつ熱狂的な手紙を書き、これらの望みをかれに伝えようとした。

マクスウェルは書いた。「偉大な神秘は、いかにして似ている物体どうしが反発し合い、似ていない物体どうしが引き合うのかということ（磁力）ではなく、逆に、いかにして似ている物体どうしが引き合うのかという点にあること（重力）を、あなたは洞察しました。ところが（……）あなたのとなえる力線は『空中に蜘蛛の糸を張り巡らせること』ができ、引きつけ合う事物との直接的な結びつきをまったく必要とはせずに、星々をその軌道に導くのです」と。

言いかえれば、遠隔作用はもはや存在しないことになる。「さてこれらの線の一本一本を考えれば（……）引く力ではなく押す力を得るのです」と。

ファラデーは感動し、ただちに返事を書いた。それはファラデーが数学者から受けとった初めての手紙で、その手紙に対してかれは多大な喜びを表明した。マクスウェルは端から端までかれを理解していたわけではなかったが、自分なりのしかた、しかも好意的なやり方で、解釈していた。このファラデーの手紙の中でもっとも重要な文章は、とても感動的で興味深いものなのだが、アインシュタインが再びそれを発見するまでの六〇年以上ものあいだ、だれもそれを顧みることはなかった。その全文を引用することにしよう。

「反発をおそらく重力線に結びつけなければならないかもしれないというアイデアは（私の個人的な見解にすぎず、現時点での私の能力をはるかに超えているが）、そのアイデアは、私が異をとなえている見解（ニュートン主義）からさらに脱却しなければならないかもしれないということは示している」と。

この手紙から、ファラデーが自分の抱いているあらゆるおかしなアイデアで人々を混乱させたいと思っていたわけではなかったことがわかるだろう。ファラデーは、自分の力線が媒質の中に導入されたことを、実際のところ、気にしていなかった。「実験的には」とかれは主張した。「単なる空間が磁気的なのだ」と。しかしファラデーは、単なる空間がエーテルで満たされているかどうかを気にとめなかった。なぜならかれは次のことを知っていたし、しかもその理由さえ説明したからだ。エーテルは厄介物にすぎず、科学者たちがそこから免れれば、残るのはただ……

——力の場だけだ！

そう、これがまさに起きたことだ。とても優れた数学者で最高の数学的物理学者の一人だったマクスウェルが、ファラデーに励まされた。まず、マクスウェルは、ファラデーの理論を数学的方程式で書き上げたが、それはいくつかの点でファラデーの理論より実際に優れているものであった。マクスウェルは、自分の方程式が真であるならば、光速で進む電磁波が空虚な空間に存在することを示した。ついに、光の性質に関する数学的証明を得たのだ。それによると、光は……

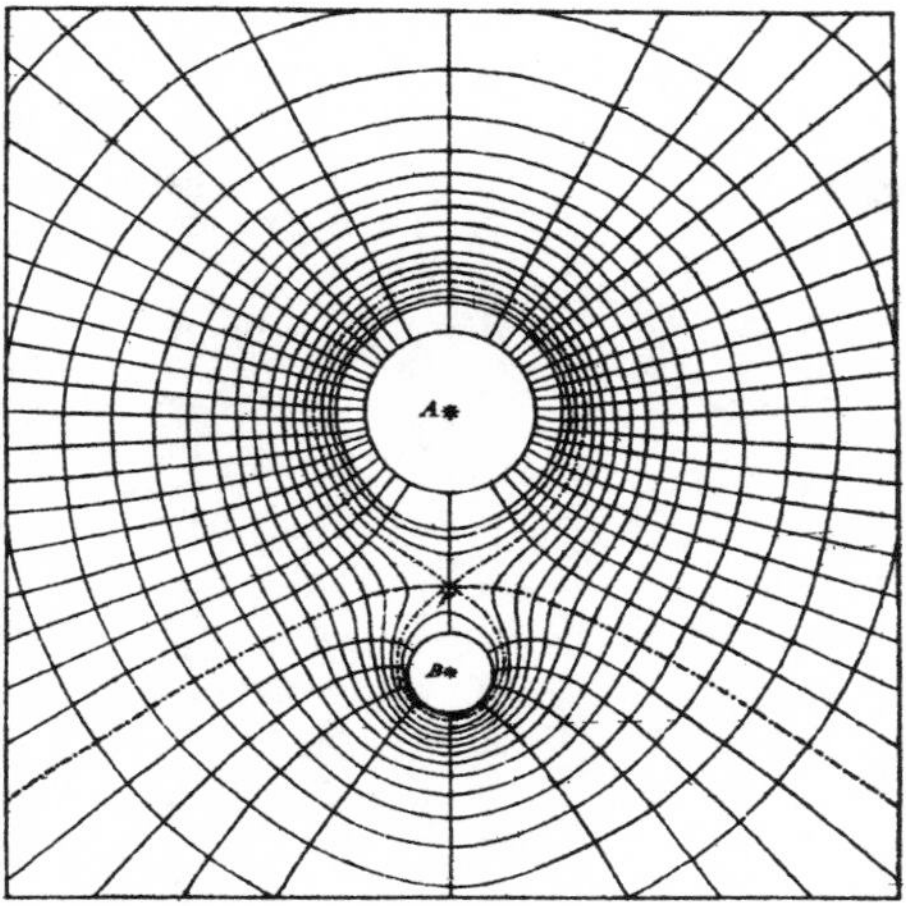

力線

——磁気？

まったくそうだとは言いきれない。もっと正確にいえば、電磁気だ。しばらくのあいだ、ファラデーは、光は磁気だと考えた。マクスウェルは、後に、それが電磁気であることを示した。

――「磁気」と「電磁気」のあいだのちがいは何?

それはとても興味深い質問だ。ほら、磁気が電気によって生じると考えたアンペールは、磁気の力は存在せず、電気の力だけが存在すると考えていた。ファラデーは反対だった。かれは磁気の原子が存在しないとしても、磁気の力は存在すると主張した。アンペールは、ニュートンの理論を支持していたので、磁気の原子が存在しないのであれば、磁気の力も存在しないと言わなければならなかった。ファラデーは、空間に磁気の原子が存在しなくても、磁気の力は存在しうると主張したのだ。

晩年になると、かれは「いまやわれわれは、磁気と電気の線を揺さぶることができる」と言った。それに対してマクスウェルは、磁力線は電気力線といっしょの場合にかぎり振動することができると主張した。なぜなら、磁力線は実際、バイオリンの弦のように振動しないからだ。

ファラデーはここで小さなまちがいをおかしていた。実際に生じることは、空間のある場所で変化する磁気的な力が現れると、これが変化する電気的な力が現れる原因となり、次にこれが磁気的な力が現れる原因となる……等々。電気的な力と磁気的な力のあいだにはシーソーないしは振り子が存在する。この「振り子」が何の速さで進むと思う?

――光の速さだ! 光が電磁的な振動だと、おとうさんが言った意味がようやくわかったよ。

ふふ。さてマクスウェルは、そもそもデカルト主義者だった。かれはファラデーの電磁気理論から出発し、次にこの理論をデカルト的な用語で説明しようとした。

――互いに衝突するエーテルの粒子で?

そうだよ。でもマクスウェルは、電磁気に関するデカルト的な理論を提出することができなかったが、これはとても重大な問題だった。どうしてこれが重大な問題なのかを説明することにしよう。なぜならこれが直接アインシュタインに結びつくからだ。もし空気中に音波があるなら、音の速さは空気と相対的だ。もし風が吹いたら、音が風と同じ方向に進むかどうかで、音の速さは速くなったり遅くなったりする。そうだろう?

――うん、そうだね。

もし、エーテルが存在し、光の波がエーテルの中を進むと仮定しよう。その場合、われわれはエーテルと相対的な光の速さを計測でき、光源に向かうと光の速さは速くなり、光源から遠ざかると遅くなることが観測されるはずだ。ちょうど、観測された音の速さが、観測者と空気の相対的な運動に依存するようにだ。

言いかえれば、弾性的な媒質の中を光の波が動くのであれば、光の速さを注意深く観測することによって、エーテルの風の影響を発見できる。エーテルの中のある方向に進むときに計測される光の速さは、その反対方向に進む光の速さと異なるはずだ。もしそうならなかったとしたら、すなわち、もし計測された光の速さが媒質を通るわれわれの運動に依存しないならば、エーテル理論には多くの困難が生じる。

そこでマクスウェルは、光の速さについて、とても頭を悩ませた。かれはまた遠隔作用する重力についても悩んだ。なぜなら、もしファラデーに真面目にしたがうなら、どんな力も遠隔作用することはありえない、と言わなければならないからだ。重力は力の場を通して太陽から地球にこなければならない。マクスウェルは、これらすべての問題を解決する前に亡くなった。

その当時、人々は、マクスウェルが偉大な数学者だということで、かれの考えを称賛したが、本当は、マクスウェルを信じたくはなかったのだ。なぜなら、マクスウェルが説明しなかった多くの困難があったからだ。さてこの種のことはファラデーの死後に生じたが、とても残念なことに、人々はファラデーをあまり読まず、かれがこれらすべての問題についてすでに考えていたことを知らなかった。

時がたつにつれて、ファラデーのアイデアのいくつかは人気を博するようになったが、それは奇妙なものだった。すでに述べたように、ファラデーはとても孤独な科学者だった。かれは仲間の科学者と話ができないことがわかっていた。仲間の科学者たちは、ファラデーは数学ができず、しかもちょっとおかしいと考えていたからである。ファラデーには子どもがいなかったが、それもかれをひどく悲しませた。そこでかれは考えた。もし大人と話ができないのであれば、子どもたちと話をしようと。おぼえているだろうが、王立研究所は一般向けの講義をおこなっていた。かれらはまた、クリスマス休暇中、子ども向けの講義もした。

ファラデーは、そのクリスマス講義をとても念入りに準備した。それらは素晴らしい講義で、そのいくつかは後に出版された。かれは子どもたちに自分のアイデアをできるだけ簡単なやり方で語った。かれは自分のアイデアのすべてを説明することはできなかったが、それは子どもたちが科学について十分な知識をもっていなかったからだ。

しかしかれはできるだけ簡単に話そうとした。こうして、かれは科学のために偉大な貢献をした。なぜならファラデーの時代以降、科学の進歩を望むならば、子どもたちにどのようにしたら科学的になれるのかとか、開かれた精神をもつことができるようになれるのかを教えなければならない、と多くの人々が気づくようになったからだ。

このような子どもたちが成長したとき、ファラデーの考えについてはあまり知らなかったけれども、かれらが知っていることはきちんと理解し、独断的ではなくなった。

後に、ファラデーとマクスウェルが死んだあと、ファラデーの本を一度も読んだことがないにもかかわらず、ファラデーの考えを理解する人々がイギリスにはたくさんいることがわかった。このような人々は、マクスウェルの考えに興味をもつようになり、その難点を克服しようと努めた。マクスウェルの考えは、ある程度、ヨーロッパでも知られるようになった。

ここでイギリス以外のマクスウェルの重要な追随者の二人に言及しなければならない。**ハインリヒ・ヘルツ**（一八五七～一八九四）と**ヘンドリック・ローレンツ**（一八五三～一九二八）だ。

ヘルツは偉大な実験家だった。かれは実験室で電磁波（今日われわれは電波とよぶ）をつくり、それを検知した最初の人だった。その後まもなくして、**グリエルモ・マルコーニ**（一八七四～一九三七）というかれの同僚が、最初のラジオを製作した。ほら、ファラデーやマクスウェルはラジオを発明しなかったけれども、かれらのアイデアがその発明を導いた。ラジオというもっとも実用的な装置でさえ、事物は何からできているのかといった問いに考えを巡らせた人々によって発明されたのだ。

ローレンツは別の問題についても頭を悩ませた。かれは「電荷」がいったい何であるのかを知りたかった。ファラデーとマクスウェルはこの説明をしなかった。ファラデーは、電気力線は正の電気があるところから始まり、そして負の電気があるところで終わると言った。ローレンツは、われわれが「正」の電気だとか「負」の電気だとかという理由を正確に知りたかった。かれは物質の電荷された粒子を研究し、また光の速さに頭を悩ませた。

最後にかれは、われわれが光源に対して静止していても、そこから遠ざかっても、それに向かっても、光の速さが同じだとすれば（しかも、実際そうであるように思われるのだが）、そのときには、それぞれの場合で、おそらく時間のほうが異なるのではないかと考えた。

われわれが光から遠ざかるあいだ、光の速さが変わらないように見えるためには、われわれの時間はゆっくりと流れなければならない。われわれが光に向かって動くあいだでも、光の速さが変わらないように見えるならば、われわれの時間は早く進まなければならない。ローレンツは、時間はすべての系に対して同じではないと考えた。高速で動く系では、時間はゆっくりと流れるのだ。

——ええと、アインシュタインはどうなったの？

こうしてわれわれはアインシュタインのところにやってくる。ほら、ローレンツは、異なる系では時間も異なると想定すれば、マクスウェルの理論のいくつかの難点は克服されるというアイデアを抱いたと言ったね。しかしかれは、そんな奇妙なアイデアが真だなどと本当に信じたわけではなかったので、細部にわたって入念に仕上げようとはしなかった。アインシュタインが仕上げたのだ。

アインシュタインは、マクスウェルの理論をとても真剣に受けとめた。かれは、マクスウェルの理論からは光の速さがすべての系に対して同じであることが導かれると考えた。われわれが光源から遠ざかっても、光源に向かっても、光の速さは同じなのだ。いまや私は、光の速さがすべての系において同じであることがマクスウェルの理論から導かれるのは、エーテルが存在しない場合にかぎるということを説明しなければならない。なぜなら、もしエーテルが存在すれば、すでに述べたように、光の速さはエーテルと相対的になるからだ。

しかしアインシュタインは、エーテルが存在しないことを当然のことと見なしていた。かれは当初から、空虚な空間には力の場だけが存在すると考えていた。

アインシュタインは、物質、エネルギー、光の速さ、時間に関する観念の体系全体が、異なる系ごとに異なっていると考えたのだ。かれが二六歳ごろのときだ！　かれは、ニュートンの重力理論が真ではないと悟った、なぜならば……

——遠隔作用は存在しないからだ。

アインシュタインはそれを悟るやいなや、重力が場所を移動するのに時間を必要とする、重力場の理論を構築しようとした。重力理論はじつに成功したが、かれは引きつづき、電気力、重力、磁力間の相互作用を説明しようとした。かれは、力に関する一つの包括的な理論を望んだが、それはファラデーの理論を発展させたものなのだ。ファラデーの理論はエルステッドの理論の発展で、エルステッドの理論は、ライプニッツの理論の発展だった。ライプニッツの理論は、世界に存在するものはただ相互作用する力であり、したがって、空虚な空間には物質の原子は存在しないというものであった。

つまり、奇妙な話だが、われわれが見てきたように、ニュートンは二〇〇年にわたって戦いに勝利してきたにもかかわらず、ライプニッツの追随者たちが最後に優勢になったのだ！ライプニッツの宇宙観も同様に正しくないことが、その後明らかにされた。そして現代の物理学はまた新たな問題を投げかけている。それらの問題はまったく異なる種類の理論や宇宙像によって答えられるにちがいない。しかし、この話は、またいつかすることにしよう。

日本版へのあとがき

この本が日本語に翻訳されたことをとてもうれしく思います。この本がまだ専門に進んでいない若い方に読まれることを願っています。

本書は長年の研究の成果でもあります。私は、アカデミックな学問の壁を打破する必要性をいつも痛感してきました。この目的にとって必要なことの一つは、学問研究のもっともよい成果を公に示すことです。この点で、私はガリレオとアインシュタインにならっています。かれらは、科学は贅沢品などではなく、ポップ・サイエンス（一般向けの科学）こそが科学の頂点だと見なしました。

いかなる科学的成功も、それが教育を受けた一般の人々に届かないかぎり、全面的なものとはなりません。残念なことに、ほとんどの専門家は、ポップ・サイエンスのほうが、それが模倣する完全な構造をもつ科学以上に大きな利点をもっていることに気がつきません。

その利点とは、文字通りにもまた比喩的にも、スケッチが細密画に対してもつ利点です。つまり、広い視野のもつ明快さです。自分にもうまく説明できないような科学の細部を暗記するように学生に押しつける科学教師のやり方は混乱を招くだけです。科学に関する骨太のアウトラインを学ぶことは、多くの点で学生の役に立つことでしょう。そうしたアウトラインこそが科学の細部に意味をもたらすのです。

しかし、偽りは禁物です。一般向けの議論は、議論の完全な構造とくらべると欠陥があるからです。議論において細部は重要です。理論の細部は、説明としても、また道具としても、理論を価値あるものにします。理論の細部は、科学の進歩にとってひじょうに役立つ批判的なテストをする際にも不可欠です。

私が科学にたどりついたのは、私が若いころに受けたユダヤ教の教義に立脚した宗教教育と決別した後でした。ところが、私が受けた科学教育にも教義があったのです。しかしながら、私は、科学教師たちの教義に対する独断的な態度にほとんど抵抗できませんでした。

独断的な教育にはまったく根拠がないことを理解するのに私は何年もかかりましたが、そう理解できたのはカール・ポパーのおかげでした。教師がどんな教義を押しつけようとも、寛容で有能な教師がいさえすれば、学生は、その援助のもとに自由に勉強することができます。

このようなわけで私は、本書を地球が惑星であるというコペルニクスの考えについて議論することから始めました。はるかに重要な古代ギリシャの考えを勉強するよりもこのほうがずっと入りやすいからです。本書は、息子がとても小さかったときに、私がかれと実際に交わした対話の（短縮した）報告です。息子はすぐにコペルニクス説に興味を示しましたが、古代ギリシャについてはそれほどでもありませんでした。対話がつづいていくにつれて、かれの関心が高まっていったことに私は喜びを感じました。日本の読者のみなさまにもこれと同じような体験を味わっていただけたらと思っています。

自由な討論という古代ギリシャのやり方に学ばないかぎり、科学を育てていくことはできません。多くの西洋の学校や、日本、ラテン・アメリカ、その他の事実上すべての学校では、科学のトレーニングには、自由な討論に熟達するためのメニューは含まれていません。その理由は、自由な討論の規則にしたがうことなど不可能だと思っている人がいるからです。かれらは、誤りを率直に認めて自分の考えを公然と変更することに困難を感じています。

いっそう悪いことに、かれらは、誤りは減点だとしてペナルティを科すように条件づけられています。さらに、教え子を科学者にしたいと思う教師たちは、科学者というものは専門に精通していなければならず、しかもその専門的知識だけを語ることが模範的なふるまいだと指示するのです。この模範にしたがうと、科学者は、社会的な活動のできない人間、おそらくそうしようとすら思わないつまらない人間になってしまいます。

実際、私がこれまでに読んだあらゆる科学教科書は、科学がいっさいの誤りから免れているように叙述しているので、退屈な読み物になっています。互いに衝突するアイデアをあたかも調和的であるかのように提示するのです。というのも、競合する複数の見解においてはせいぜい一つしか真ではありえないからです。

現代物理学と古典物理学の対照は避けて通れませんが、その対照の記述ですら、執筆者や教師にとって悩みの種となります。すなわち、どうしても古典物理学のまちがいを指摘しなければならなくなるのです。このようなことで悩むのは残念なことですし、かえって障害にもなります。このような障害を克服することによって、精神を科学的な態度へと開かせます。こうして科学研究はより容易で、楽しいものとなります。一部の熟達した科学者たちは、自由な討論の経験がなく、したがって、科学的な態度から生まれる楽しさもおそらく味わったことがないでしょう。これはかわいそうなことです。

科学的な態度は、万人に開かれています。それは文化間の境界を知りません。そこで私は、日本の若い読者が自分の科学的適性を育んでいくのにこの小著が役に立つことを切に願っています。こうして、東洋と西洋がいっそう緊密になることにも本書が貢献できればと思います。

最後になりますが、本書を日本語に翻訳してくださった立花希一教授に謝意を表します。

ヨセフ・アガシ

訳者解説

本書は、一九六六年夏に著者のヨセフ・アガシ（一九二七〜二〇二三。以下、「アガシ」）と息子のアーロンとのあいだで実際に行われた対話の記録である。アーロンは一九五八年生まれなので、わずか八歳のときに高度な科学および哲学の内容を理解し、議論したことになる。にわかには信じられない話かもしれないが、たしかな事実である。訳者は、一九八〇年から一九八三年までの三年間、アガシに師事するためにイスラエル政府給費留学生としてテルアビブ大学に留学していた。当時のアーロンは学生で、哲学を勉強しているとアガシから伺っていた。二〇〇〇年にアガシ夫妻が来日し、本書の翻訳出版を依頼された際も、本書の対話者としてその能力を遺憾なく発揮し、学生時代に哲学を学んだアーロンはどうしているのかと思い、「息子さんはお元気ですか」と尋ねた。すると、母のユディットから思わぬ返事を得た。彼女は「元気よ」と答えた後、「アーロンは、知的には優れているけれども、社会関係を結ぶのが苦手なので、施設で暮らしている」と述べた。

すなわち本書は、父のアガシが、知的に早熟な、今でいう「発達障害」のアーロンと真摯に向き合い、科学および科学の母胎でもある哲学――特に自然哲学――を題材に選んで、息子を温かく見守り励ましながら、真剣に語り合った記録といえる。ちなみに、イタリア語版は、『終わりのない対話――ギリシャ人からアインシュタインまでの科学の歴史（Dialogo senza fine. Una storia della scienza dai greci ad Einstein, 2009)』というタイトルで出版されており、その表紙にはアガシとアーロンの名前が併記されている。イタリア語版だけではなく、本書はヘブライ語版、中国語版にも翻訳されており、世界的名著として知られる。日本の子どもたちにも中高生になったらぜひ読んでもらいたいし、親子で会話しながら読まれてもいいかもしれない。

本書の主要な論点はこうである。科学の営みとは、定説として受容されている科学理論を正確に理解したうえで、それを批判し、修正していく試みの連続だというものである。理論の反駁に実際に成功し、その誤りを具体的に指摘すれば、それは一つの発見であり、さらにその誤りを克服する新たな理論を提示できれば、もう一つの発見となる。こうして科学は成長・進歩してきた。アガシは、この科学的探究活動を科学史の豊富な事例によって体系的に、しかも中高生にも理解できる平易な言葉で明快に示したのだ。

第三章では、ニュートンからアインシュタインへの展開も刺激的に語られている。その展開の中心人物は、アガシが専門的に研究したファラデーである。カント、エルステッドからファラデー、アインシュタインにいたるライプニッツ的伝統に関するアガシの記述は、ほとんどすべて第一次資料に基づいている。

科学には他にも多くの問題、新たな理論や宇宙論があることが示唆され、本書は幕を閉じる。たとえば、現代科学の研究に不可欠な「量子論」が語られていない点など、未完と感じる読者もいるかもしれない。それについては、「アーロンとの対話」ではないが、本書の続編ともいうべき著書（『放射理論と量子革命（*Radiation Theory and the Quantum Revolution*）』Birkhäuser, 1993）が出版されているので、ぜひ参照されたい。

＊＊＊

ヨセフ・アガシは、一九二七年、現在のイスラエル（当時は英国の委任統治領）に生まれた。アガシの父は東欧からイスラエルへの移民で、宗教的シオニストであった。宗教的な家庭に生まれたアガシは、ラビ養成の宗教学校に入れられたが、ユダヤ教に疑問をもち学校を退学する。宗教に対する懐疑は、かれを哲学へと向かわせたが、大学に入学する際には、哲学の理解を深めるという目的のために、物理学を選んだ。しかし、当時のかれの物理学の教師たちは、約束主義の影響を受け、物理学を応用数学の一種とみなし、哲学とは無関係の学問として扱っていた。哲学を無視する態度に失望していたアガシは、一九五一年に発表されたカール・ポパーの論文「哲学的諸問題の性格と科学におけるその根源」（『推測と反駁〈新装版〉』法政大学出版局、二〇〇九に所収）を読んで感動し、ポパーの下で研究することを決心する。一九五二年にヘブライ大学で修士号を取得した翌年、ポパーのいるロンドン・スクール・オヴ・エコノミクスに家族を伴って留学する。

一九四八年には、三歳年上のユディットと学生結婚しており、長女ティルツァーもすでに生まれていた。ユディットはマルティン・ブーバーの孫娘である。ブーバーは高名な宗教哲学者で、イスラエルの建国前から「二民族一国家（binational state）」の提唱者でもあった。なお、アガシの著した『イスラエルにとってのリベラル・ナショナリズム（*Liberal Nationalism for Israel: Towards an Israeli National Identity*）』は、イスラエル・パレスチナ問題に興味・関心のある方は必読である。

アガシは、ポパーの指導の下、「物理学における解釈の機能（*The Function of Interpretation in Physics*）」という論文で、一九五六年に博士号を取得する。この学位論文における「解釈」は、「形而上学的解釈」ないし「形而上学」を意味し、当時、有力であった帰納主義と約束主義という二つの立場では排除されていた形而上学が科学の研究に大きな役割を果たすことをファラデーの事例研究を中心に論じている。この論文を基に研究を重ねたアガシは、一九七一年に『自然哲学者としてのファラデー（*Faraday as a Natural Philosopher*）』を上梓し、科学史家としての地位を確立した。

ロンドン・スクール・オヴ・エコノミクスでポパーの助手を務めた後、一九六〇年、香港大学に赴任する。イリノイ大学、テルアビブ大学、ボストン大学、カナダのヨーク大学（トロント）を歴任し、定年退職後、テルアビブ大学とヨーク大学の名誉教授となった。かれの専門分野・関心は、自然科学・社会科学の方法論、科学史はもとより、物理学、形而上学、技術論、精神病理学、人間学、教育理論、宗教思想、民族問題など多岐にわたっており、まさに「オールラウンダー」である。著書、編著書、共著書、論文など膨大な数にのぼる（詳細はhttps://www.tau.ac.il/~agass/pub.htmlを参照のこと）。ここでは、本書と関連する「科学史・科学哲学・科学社会学」における英文の主要著書（単著）に言及しながら、かれの思想を紹介することにしよう。

第一に挙げたいのは、一九六一年に書き上げた『科学の歴史記述に向けて（*Towards an Historiography of Science*）』という書である（出版されたのは一九六三年）。この本のなかで、これまでの科学史家が科学の歴史を書く際に意識的あるいは無意識的に採用していた科学哲学として帰納主義と約束主義を挙げ、その問題点を指摘しながら、ポパーの反証主義という第三の立場による歴史記述の方法を提示した。トマス・クーンによる『科学革命の構造』(みすず書房)の一年後の出版であるが、哲学者J・O・ウィズダムが両書に言及して「この二書が最も斬新かつ重要なこの分野における貢献である」と評するように、こちらも定評を得ている。

ボストン大学で十年間教鞭をとった後、かれの主要論文が『流動する科学(*Science in Flux*)』というタイトルで一九七五年に、Boston Studies in the Philosophy of Science の一書として出版された。Boston Studies はシリーズもので、科学哲学において世界をリードする著作を多く刊行している。『流動する科学』は、科学を高度に批判的で創造的な営みとみなす点と形而上学の強調に特徴があるが、他方、科学の社会的役割、責任にも目を配っている。

一九八一年にこのシリーズから出版された二つ目の論文集、『科学と社会(*Science and Society: Studies in the Sociology of Science*)』は、科学の社会的側面をさらに考察し、学問の世界の運営が権威主義的ではなく、より民主主義的なものになれば、科学はさらにより良きものになり、人道主義的になるということを論じている。

同シリーズから二〇〇三年に刊行された第三作目が、『科学と文化(*Science and Culture*)』である。これまで執筆してきた数多くの論文のなかから、自律・寛容・理性・哲学・責任というキーワードの下に精選された論文で構成されている。知性主義(反経験主義)・経験主義(帰納主義)・道具主義の科学観を退け、ポパー流の批判主義的科学観を採用したうえで、個人の自律・リベラリズム・多元主義・デモクラシーと科学との関わりを考察している。

さらに第四作目として、上述の『科学の歴史記述に向けて』を再掲すると共に歴史記述に関わる論文が付加された『科学とその歴史――科学の歴史記述再評価（*Science and Its History: A Reassessment of the Historiography of Science*）』があり、第五作目に、『まさに近代科学という観念――フランシス・ベーコンとロバート・ボイル（*The Very Idea of Modern Science: Francis Bacon and Robert Boyle*）』がある。

アガシは近年特に顕著に、さまざまな事象を「全てか無か（all or nothing）」ではなく「多かれ少なかれ（more or less）」という程度問題として把握しようとする従来からの立場に磨きをかけ、「エリートと大衆」「知識人と素人」などといった二分法を退け、学問の世界と社会一般の垣根を可能な限り取り払おうと努めていた。二〇二〇年に刊行された最新作『学問上の苦しみとその回避策（*Academic Agonies and How to Avoid Them*）』では、民主社会において、いわゆる文系・理系を問わずさまざまな知的活動を相互交流させ活性化させるため、ともすれば権威主義的で閉鎖的になりがちな学界をリベラルで開かれた社会へと改革するための方策を提言している。アガシは、こうした実践的活動の一環として、興味のあるひとなら誰でも読めるオンラインの形式で同書を提供している（他にもオンラインで読める著作が多数ある）。

本書の日本語版は『科学の大発見はなぜ生まれたか』と題して、二〇〇二年一二月に拙訳で刊行されたが、二〇一一年四月の第三刷を最後に長く品切れとなっていた。このたび、ブルーバックスの長年の愛読者で、本書の熱烈なファンでもある星則幸氏の尽力により、めでたく復刊の運びとなった。氏の並々ならぬ尽力に敬意・謝意を表したい。また、当時の担当編集で、現・講談社サイエンティフィク社長の堀越俊一氏に、あらためて感謝する。そしてこの度、新たな担当編集の楊木文祥氏の着想・提案により、『父が子に語る科学の話』と改題のうえ、内容にも再編集をくわえた新たな装いでの刊行となった。この場をお借りして、心から御礼を申し上げる。

ヨセフ・アガシは二〇二三年一月二二日、九五歳で亡くなった。逝去の報を、筆者はアガシの知的財産相続人アブラハム・メイダンからの電子メールで受け取った。新しい命を吹き込まれた本書を恩師に捧げる。

二〇二四年四月

立花　希一

ブックガイド

Cohen, I. Bernard.
The Birth of a New Physics
New York, Doubleday, 1960.
コーエン『近代物理学の誕生』
吉本市訳、河出書房、1967年

Einstein, Albert, and Infeld, Leopold.
The Evolution of Physics
New York, Simon and Schuster, 1938.
アインシュタイン／インフェルト
『物理学はいかに創られたか』上・下
石原純訳、岩波新書、1963年

Galilei, Galileo.
Discoveries and Opinions of Galileo
Edited and translated by Stillman Drake, New York, Doubleday, 1957.
（未訳。ガリレオの生涯については下記二冊を参照。）

ヴィヴィアーニ
『ガリレオ・ガリレイの生涯　他二篇』
田中一郎訳、岩波文庫、2023年

ドレイク
『ガリレオの生涯』全三巻
田中一郎訳、共立出版、1984〜85年

Koestler, Arthur.
The Watershed
New York, Doubleday, 1960.
ケストラー
『ヨハネス・ケプラー——近代宇宙観の夜明け』
小尾信彌／木村博訳、ちくま学芸文庫、2008年

Koyré, Alexandre.
From the Closed World to the Infinite Universe
New York, Harper and Row, 1958.
コイレ
『コスモスの崩壊――閉ざされた世界から無限の宇宙へ』
野沢協訳、白水社、1974年

Kuhn, Thomas S.
The Copernican Revolution
Cambridge, Mass., Harvard University Press, 1957.
クーン『コペルニクス革命』
常石敬一訳、講談社学術文庫、1989年

MacDonald, David K.C.
Faraday, Maxwell, and Kelvin
New York, Doubleday, 1964.
マクドナルド
『ファラデー、マクスウェル、ケルビン
――電磁気学のパイオニア』
原島鮮訳、河出書房新社、1979年

Schrödinger, Erwin.
Nature and the Greeks
Cambridge University Press, 1954.
シュレーディンガー
『自然とギリシャ人――原子論をめぐる古代と現代の対話』
河辺六男訳、工作舎、1991年

Sciama, David W.
The Unity of the Universe
New York, Doubleday, 1959.
シアマ『相対性・重力・宇宙』
林一訳、ダイヤモンド社、1968年

原著で紹介されている上記の文献に加えて、「まえがき」でアガシが言及しているポパーやバートをはじめとする科学哲学の名著、そして本文中でドラマチックに語られるファラデーの名講義を収めた邦訳書も挙げておこう。

ポパー『科学的発見の論理』上・下
森博／大内義一訳、恒星社厚生閣、1971〜72年

ポパー『推測と反駁――科学的知識の発展』
藤本隆志／石垣壽郎／森博訳、法政大学出版局、1980年
（本書の中に、アガシが感動し、留学を決意したポパーの論文「哲学的諸問題の性格と科学におけるその根源」が収められている）

ポパー『果てしなき探求』上・下
森博訳、岩波現代文庫、2004年

バート
『近代科学の形而上学的基礎
――コペルニクスからニュートンへ』
市場泰男訳、平凡社、1988年

ポアンカレ『科学と仮説』
伊藤邦武訳、岩波文庫、2021年

デュエム『物理理論の目的と構造』
小林道夫／熊谷陽一／安孫子信訳、勁草書房、1991年

ファラデー『ロウソクの科学』
竹内敬人訳、岩波文庫、2010年

末尾に、アガシの主要な単著リストも掲載しておく。本書を読んで興味を持った方は、ぜひその他の著作にも挑戦してほしい。

Faraday as a Natural Philosopher
Chicago University Press, 1971.
(『自然哲学者としてのファラデー』)

Towards a Rational Philosophical Anthropology
The Hague, Kluwer, 1977.
(『合理的な人間学に向けて』)

Science in Flux
Boston Studies in the Philosophy of Science, 1975.
(『流動する科学』)

Science and Society
Boston Studies in the Philosophy of Science, 1981.
(『科学と社会』)

Technology
Dordrecht, Kluwer, 1985.
(『テクノロジー――その哲学的・社会的側面』)

Radiation Theory and the Quantum Revolution
Basel, Birkhäuser, 1993.
(『放射理論と量子革命』)

A Philosopher's Apprentice
Amsterdam, Rodopi, 1993.
(『ある哲学者の弟子――カール・ポパーのワークショップ』)

Science and Culture
Boston Studies in the Philosophy of Science, 2003.
(『科学と文化』)

Science and Its History
Boston Studies in the Philosophy of Science, 2008.
（『科学とその歴史』）

The Very Idea of Modern Science
Boston Studies in the Philosophy of Science, 2013.
（『まさに近代科学という観念』）

Popper and His Popular Critics
Switzerland, Springer Briefs in Philosophy, 2014.
（『ポパーと喝采されたポパー批判者たち——クーン、ファイヤアーベント、ラカトシュ』）

ナ行

ハ行

マ行

ラ行

ワ行

タ行

カ行

サ行

ラ行

ア行

ナ行

ハ行

マ行

ヤ行

ア行

カ行

サ行

タ行

本書は二〇〇二年に小社から刊行された
『科学の大発見はなぜ生まれたか』を改題の上、
大幅な改訳・再編集を加えたものです。

N.D.C.401　302p　18cm

ブルーバックス　B-2268

父が子に語る科学の話
親子の対話から生まれた感動の科学入門

2024年 7 月20日　第 1 刷発行

著者　ヨセフ・アガシ
訳者　立花希一
発行者　森田浩章
発行所　株式会社講談社
〒112-8001 東京都文京区音羽2-12-21
電話　出版　03-5395-3524
販売　03-5395-4415
業務　03-5395-3615
印刷所　（本文印刷）株式会社ＫＰＳプロダクツ
（カバー表紙印刷）信毎書籍印刷株式会社
製本所　株式会社国宝社

定価はカバーに表示してあります。

ISBN978-4-06-536849-7

発刊のことば

科学をあなたのポケットに

二十世紀最大の特色は、それが科学時代であるということです。科学は日に日に進歩を続け、止まるところを知りません。ひと昔前の夢物語もどんどん現実化しており、今やわれわれの生活のすべてが、科学によってゆり動かされているといっても過言ではないでしょう。

そのような背景を考えれば、学者や学生はもちろん、産業人も、セールスマンも、ジャーナリストも、家庭の主婦も、みんなが科学を知らなければ、時代の流れに逆らうことになるでしょう。

ブルーバックス発刊の意義と必然性はそこにあります。このシリーズは、読む人に科学的に物を考える習慣と、科学的に物を見る目を養っていただくことを最大の目標にしています。そのためには、単に原理や法則の解説に終始するのではなくて、政治や経済など、社会科学や人文科学にも関連させて、広い視野から問題を追究していきます。科学はむずかしいという先入観を改める表現と構成、それも類書にないブルーバックスの特色であると信じます。

一九六三年九月

野間省一